Daniela do Lago
Daily Shots
365
INSPIRAÇÕES PARA COMEÇAR BEM O SEU DIA NO TRABALHO

CB035114

Copyright © 2019 Daniela do Lago
Copyright © 2019 Integrare Editora e Livraria Ltda.

Editores
André Luiz M. Tiba e Luciana Martins Tiba

Coordenação e produção editorial
Estúdio Reis - Bureau Editorial

Copidesque e revisão
Rafaela Silva

Revisão gráfica
Pedro Japiassu Reis

Projeto gráfico e diagramação
Gerson Reis

Capa
Q-pix – Estúdio de criação – Renato Sievers

Foto da Autora
Nil Fabio - @nilfabio

Dados Internacionais de Catalogação na Publicação (CIP)
Andreia de Almeida CRB-8/7889

Lago, Daniela do
  Daily shots : 365 inspirações para começar bem o seu dia no trabalho / Daniela do Lago - São Paulo : Integrare, 2019.
  232 p.

ISBN: 978-85-8211-109-3

1. Mensagens - Motivação no trabalho 2. Trabalho - Mensagens 3. Carreira - Mensagens 4. Sucesso I. Título

19-2037   CDD 158.1

Índices para catálogo sistemático:
1. Mensagens - Sucesso

Todos os direitos reservados à
INTEGRARE EDITORA E LIVRARIA LTDA.
Rua Tabapuã, 1123, 7º andar, conj. 71/74
CEP 04533-014 – São Paulo – SP – Brasil
Tel. (55) (11) 3562-8590
www.editoraintegrare.com.br

Agradecimentos

Dedico este livro a todos os meus amigos, alunos e profissionais que já me confidenciaram precisar acalmar o coração, de vez em quando, para continuar trabalhando naquela empresa, e assim não desistirem de suas carreiras.

Que vocês possam encontrar aqui, diariamente, uma inspiração, leveza, alegria, um bom estímulo e uma mão forte para orientá-los na vida profissional. Este livro foi escrito com todos vocês em meus pensamentos.

Agradeço ao meu bom ouvinte editor André Tiba, que apoia minhas mais diferentes ideias na escrita.

E também aos amores da minha vida, razão do meu viver, que já me ouviram dizer "Amo Você!".

Introdução

Por que decidi escrever o livro **Daily Shots**? Tenho observado uma insatisfação generalizada nas pessoas em relação aos seus trabalhos, e uma ansiedade desenfreada sobre suas carreiras. Por que isso tem acontecido?

Estamos em uma época de mudanças significativas, não é segredo que a tecnologia e milhões de algoritmos estão mudando a forma e estilo do trabalho que conhecemos. Vale a ressalva de que o trabalho não vai acabar, mas se transformar completamente! E por não saberem se posicionar frente às mudanças, a ansiedade e o descontentamento tomam conta dos profissionais.

A maioria das pessoas escolhe ser pessimista quando pensam sobre o futuro incerto do trabalho. Não entendo o porquê dessa escolha!

Quando me sinto um pouco ansiosa, recorro à meditação (confesso que ainda estou aprendendo), também à oração e à leitura de um livro devocional, geralmente relacionado à espiritualidade, religião ou palavras de sabedoria. Esse tipo de livro contém textos curtos que me ajudam a concentrar os pensamentos para algo bom e, automaticamente, minhas ações ficam mais conscientes.

Verifiquei que não existia nenhum livro em estilo devocional que fosse direcionado ao trabalho e carreira. Então, já que não encontrei nenhuma literatura parecida, resolvi escrever este livro para você e para mim! Para ajudar a nos manter centrados no que realmente importa e não nos deixar levar pela ansiedade alheia, que acaba tomando conta das pessoas no trabalho.

Assustei-me quando visitei uma empresa, cliente de grande porte no Brasil, e percebi que vários funcionários da área tinham calmantes disponíveis em suas gavetas, e com a maior naturalidade ofereciam uns aos outros para conseguirem se manter calmos perante ao estresse diário! Isso não me parece normal.

Por isso, tomei a decisão de escrever o **Daily Shots** com 365 inspirações, reflexões e orientações para você começar bem o dia no seu trabalho. Procurei, neste livro, trazer mensagens curtas e positivas, provocações verdadeiras e direcionamento para você se focar no que realmente é importante.

O livro ainda traz um espaço para você escrever seus insights e planos. E em algumas datas de cada mês procurei desafiá-lo com algumas tarefas simples para que faça no trabalho. De uma maneira prática e aplicável, um passo por vez, para você caminhar sempre na sua estrada de carreira.

Este é o meu quarto livro e, sem dúvida, até agora, foi o mais difícil de ser escrito. Toda palavra e frase foi muito bem pensada, para gerar uma conexão entre nós, com meus pensamentos do que acredito e vivencio sobre o verdadeiro significado do trabalho e carreira.

A maneira que consigo alcançar o maior número de pessoas é através das palavras. Percebi que esse é um dos meus talentos: o uso cuidadoso das palavras, sejam elas faladas ou escritas. Pessoas diferentes me procuram quase que diariamente para serem ouvidas e para ouvirem algo sobre suas carreiras.

Por esse motivo tenho cuidado em transmitir palavras de incentivo verdadeiro. Aprendi nestes últimos anos que, se alguém não me pediu opinião, eu não a darei. Só falarei algo espontâneo se for positivo e para elogiar.

Se, porventura, a pessoa me pedir uma opinião, então, após analisar, eu a darei com cuidado e usando as técnicas e metodologia que já publiquei em outro livro meu: **Feedback: receita eficaz em 10 Passos**.

Quão poderosa pode ser uma palavra? Ela pode destruir sonhos de uma pessoa, destruir uma vida, a autoestima de alguém, assim como também pode incentivar, mudar algo e até ser a "mão forte" que ajuda a levantar quando se está num momento difícil. Portanto, sim, as palavras são poderosas!

Meu sonho, como escritora e pesquisadora sobre carreira, continua o mesmo: que minhas dicas diárias possam ajudar efetivamente os profissionais a terem uma carreira bem sucedida, mais equilibrada e assim viverem vidas mais plenas, com satisfação e grandeza.

Boa leitura!

Prefácio

Conheci a Daniela do Lago durante um evento no qual ambos falaríamos, ela antes de mim. Confesso que ao vê-la no palco fiquei impressionado com sua estatura. Não a física que, por si só, já não a deixa passar despercebida, mas a intelectual, pois, com palavras simples e histórias cativantes ela passou conceitos profundos e necessários para aquela audiência. Naquele dia ela ganhou mais um fã.

Entre outros, ela falou sobre os sentimentos que experimentou em momentos de transição, de dúvida e de necessidade de mudança. Eu me identifiquei com isso, pois conheci esses mesmos sentimentos muitas vezes em minha vida.

Em uma dessas ocasiões eu estava nos Estados Unidos, onde havia terminado um curso de extensão a um MBA, e precisava decidir se, e quando, voltaria para o Brasil. Como tinha a opção de ficar, inclusive por que lá tenho família, a dúvida corroía, e meu coração estava dividido. Foi quando, como que procurando um pouco de inspiração e paz, passeando pelas prateleiras da então gigante livraria Barnes & Noble, comprei por impulso um livro que tinha, no mínimo, um nome curioso. Chamava-se *Chicken soup for the soul*, algo como *Canja de galinha para o espírito*, jogando com a ideia de que uma canja de galinha é sempre um alimento reconfortante, e a obra era exatamente assim. Era um livro com frases e histórias (reais em sua maioria) capazes de inspirar a mente e acalmar a alma.

Fiquei impressionado com o efeito que aquele livro teve sobre mim naquele período. Criei o hábito de abri-lo pela manhã e ler a primeira história, assim como, anos antes, havia feito com outro livro, este o maior de todos, a Bíblia, mesmo sem nunca ter sido uma pessoa religiosa.

Do inglês arcaico temos a expressão insight, que, traduzido literalmente, quer dizer *olhar para dentro*, mas foi adotada pela psicologia, especialmente a Gestalt, para representar um momento de revelação, de percepção aguda, de compreensão de algo importante. Todos já ouvimos alguém (ou nós mesmos) dizer que "teve um insight", às vezes maravilhoso. Sim, todos já os tivemos.

E também ouvimos alguém dizer que iria dar um insight a outro. Isto está incorreto. Ninguém pode dar um insight a ninguém. É algo que a própria pessoa tem. Ou não tem. Mas o que podemos fazer, isto sim, é provocar um insight, estimular um pensamento, proporcionar uma percepção, uma iluminação que clareia a mente e anima o coração.

Assim como o *Chicken soup*, este **Daily Shots**, que a querida Daniela do Lago teve o trabalho e a generosidade de produzir, tem esse maravilhoso poder. Provoca insights necessários e úteis, através de estímulos certeiros, verdadeiros e belos, caprichosamente organizados para nos acolher em cada um dos dias do ano.

Quando procurei a mensagem reservada para o dia de meu aniversário, por exemplo, lá encontrei uma provocação em forma de pergunta. O que eu faria se naquele dia eu não tivesse nenhuma obrigação? Parei então para pensar que, quando procuramos ter sucesso na vida, algo profundamente ligado à nossa carreira e ao nosso trabalho, esquecemos que o maior de todos os sucessos seria o de fazermos o que fazemos não porque somos obrigados, mas porque queremos fazê-lo.

Querida Daniela, entre as minhas obrigações diárias não estará a leitura da frase reservada para o dia, mas eu a lerei exatamente por isso. Porque ela me dará, despretensiosamente, o estímulo ao mais apropriado dos pensamentos para que eu melhor enfrente minha jornada.

Para o dia que segue o Natal você reservou a pergunta sobre como o leitor deseja ser lembrado, afinal, esta é uma época do ano em que pensamos naqueles que nos foram importantes de alguma forma. Pergunta forte...

Sobre você, eu digo que sempre lembrarei com admiração, respeito e carinho. Além de gratidão, por este belo livro que se soma à sua trajetória brilhante no mundo dos negócios e das carreiras, e pela oportunidade de participar dele através deste prefácio. Agradeço também ao seu (nosso) insistente, paciente e competente editor André Tiba, por tornar concreto este *confort food* intelectual para todos nós.

Eugenio Mussak
Curitiba, primavera de 2019

JANEIRO

Daily Shots

INSPIRAÇÕES
PARA COMEÇAR
BEM O SEU DIA
NO TRABALHO

1 Em quais projetos você esteve envolvido no último ano?

Às vezes, temos a sensação de que não estamos produzindo, e isso nem sempre é verdade.

Pare um momento e destaque os projetos, atividades, eventos que esteve envolvido no ano que passou e você verá quantas coisas realizou, sejam projetos profissionais ou pessoais.

Seja grato pelo que vivenciou. Gratidão é uma arma poderosa para se centrar no que importa.

Ano novo, vida nova! Momento de virar a página e recarregar baterias para o ano que inicia.

2 O que você espera da sua carreira?

Início de ano é perfeito para rever nossos planos e pensar sobre o que queremos alcançar em nossa trajetória. Repasse de maneira prática e específica o que você espera que sua carreira lhe traga.

Não adianta dizer que deseja algo muito amplo, como sucesso, reconhecimento ou dinheiro. Prefira destacar e listar itens que tenham significado de sucesso pra você. O que tem que acontecer para que você se sinta reconhecido? Coloque um número para suas cifras.

Agora reflita: o caminho que você está hoje vai lhe conduzir até seus objetivos na carreira?

3. Se você pudesse mudar algo no dia de hoje, o que seria?

Faça uma pequena reflexão sobre seus compromissos de hoje e uma pequena reflexão geral sobre sua carreira.

Você está onde gostaria de estar?

Lembre-se que nem sempre querer é poder! Não basta apenas querer algo para que aconteça, você terá que fazer algo.

Para que um sonho se torne realidade é importante que esteja alinhado com suas possibilidades.

Pense em algo simples, uma pequena mudança que poderia deixá-lo mais perto de seus objetivos.

Uma grande caminhada começa com um pequeno passo.

Simples assim.

4. Qual é a missão da sua empresa?

Na sua empresa, em algum lugar, deve estar exposto qual é a missão, visão e valores nos quais ela se baseia. Você já percebeu? Se sim, dê uma lida. Missão é o rastro e legado que sua empresa quer deixar no mercado e raramente a missão de sua empresa muda.

E aí, o que a missão de sua empresa tem a ver com você?

É hora de pensar seu real papel na Terra e a missão tem a ver com esse propósito.

Tenha certeza de que não está vivo à toa e que neste momento alguém pode estar se inspirando em você. Portanto, vamos deixar um legado positivo.

5 Qual será a emoção predominante no seu dia?

Seus pensamentos nem sempre são reais, mas suas emoções sim! Pesquisas comprovam a relação das emoções com o nosso corpo.

Já reparou que quando se zanga ou fica nervoso, você fica amargando uma sensação ruim, mesmo muito tempo depois do evento ter acontecido?

Pois bem, uma emoção negativa que sentimos libera substâncias químicas em nosso organismo que ficam circulando por cerca de quatro horas em nosso corpo, enquanto as emoções positivas circulam apenas por duas horas.

Imagine no trabalho, quanto tempo será necessário para se recuperar se tiver dois ou três aborrecimentos num único dia? Algo que não é difícil de acontecer! Portanto, fique atento!

Vamos pensar positivo e, com isso, ter um dia mais produtivo?

6 Pelo que você sente gratidão hoje?

Ter a gratidão como um valor nos dá um olhar diferenciado sobre a vida. Temos o hábito de pedir coisas, estamos sempre querendo mais e mais. Quero que tome um tempo hoje e reflita sobre a frequência que você se vê agradecendo por aquilo que já conquistou.

Faça uma lista das coisas pelas quais você sente gratidão, das coisas simples que lhe cercam, até as conquistas mais ousadas, para se lembrar nos momentos de dificuldade.

Aproveito esse momento para agradecer a você, por se propor a ler e sentir estas palavras que estou compartilhando aqui.

7 O que você almeja?

Almejar, no dicionário, significa *desejar ardentemente*. Preste atenção à palavra *ardentemente*. Você já deve ter sentido a sensação de ardência, uma queimação, urgência. Pois bem, o que arde em você?

O que você almeja?

O que você deseja ardentemente em seu trabalho e para a sua carreira?

8 Na empresa onde trabalha, você se identifica com seus colegas e gosta deles?

Quem não quer trabalhar numa empresa legal, divertida, com ambiente bacana, clima acolhedor e cheio de energia e oportunidades? Nós escolhemos a empresa, mas não podemos escolher todo mundo que trabalha ao nosso lado.

Os colegas de trabalho não são nossos amigos, nem nossa família. Não os escolhemos e não importa de quem gostamos no trabalho. Simplesmente precisamos trabalhar com eles.

O risco que você corre em achar que a empresa é um "clube dos amigos" é de tropeçar na carreira por considerar que o gostar entra nas relações corporativas.

No ambiente de trabalho, temos apenas conhecidos, indivíduos com quem podemos ter uma boa relação profissional, mas lembre-se: a palavra-chave aqui é **trabalho**.

Saber o ponto de equilíbrio entre se relacionar bem e se manter focado no resultado, trabalhando com qualquer pessoa (independentemente se gosta dela, ou não), pode ser o segredo para o sucesso. Confundir essas questões comportamentais é receita infalível para o fracasso.

9 O que você gostaria de responder quando alguém lhe pergunta: O que você faz?

Essa pergunta capciosa pode lhe dar uma enorme dica de como se voltar para seu real talento e propósito.

Saiba que uma tarefa não corresponde à sua dimensão como ser humano. Você deve observar o que pode proporcionar com o resultado dessa tarefa, atividade ou função.

Responder todos os dias a dezenas de e-mails com dúvidas de profissionais que nem conhecemos pode parecer maçante e desgastante, mas esta é só uma tarefa diária da minha empresa, que tomo como exemplo. O real trabalho que fazemos aqui consiste em dar um norte, uma orientação prática para alguém que está perdido em sua carreira, ajudando um desconhecido que nos confiou seus problemas a encontrar uma direção.

Este é o real sentido do que fazemos.

E o que você faz? Amplie seus horizontes!

10 Qual foi o projeto mais sensacional do qual participou no último ano?

Faça uma retrospectiva dos projetos com os quais esteve envolvido no ano que passou, seja em sua empresa, comunidade, clube ou escola. Relembre qual deles foi mais marcante para você e faça uma uma análise das razões que o levaram a classificar esse projeto como sensacional. Pode ter sido pelo resultado propriamente dito, pela interação com as pessoas envolvidas, pela não rotina das atividades, pela dedicação, pela causa etc.

Com essa análise você poderá perceber o que tem valorizado na sua vida e, então, poderá aplicar mais desses valores no seu trabalho.

11 Eu estou na carreira certa?

Ouço essa pergunta quase que diariamente por profissionais de todas as idades e diferentes profissões. A pergunta com a qual rebato é: "Por que está se questionando sobre sua carreira?". Será que é por causa do trabalho atual, ou por causa da tarefa desagradável que tem que executar ou, até mesmo, por causa da frustração por não estar atingindo os resultados na empresa?

Muitas vezes, esse questionamento vem pela falta de paciência para esperar os resultados de seu trabalho. Não existe um "momento certo", sempre é possível começar uma nova carreira, porém, entenda que levará um certo tempo para colher os frutos.

12 Qual é o seu maior defeito?

Escreva em seu caderno cinco defeitos que você acredita que o limitam, que não deixam você alcançar o que realmente deseja, seja material, ou não. Conserte esses defeitos e veja que tudo fluirá melhor.

Procure se concentrar e ir o mais fundo possível. Sinta em seu coração quais deles realmente impedem seu progresso.

Procure direcionar seu pensamento no dia de hoje sobre o amor que sente por você, como se aceita e quanta abundância pode gerar em sua vida.

13 O que faz você se sentir realizado?

Perceba que a pergunta não se refere ao significado do que é realização para você, e sim sobre as ações que fazem você se sentir realizado.

Foque nas coisas simples que acontecem durante o seu dia e que trazem a sensação de realização: pode ser ajudar uma pessoa no trabalho, resolver um problema, finalizar uma tarefa antes do prazo, ter uma conversa significativa com alguém etc.

Comece a se observar e você verá que existem infinitas possibilidades para experimentar a sensação de realização.

14 O que posso fazer diferente?

Sempre podemos melhorar e procurar fazer algo de uma forma diferente. É uma boa maneira de treinar seu pensamento para outras possíveis alternativas.

Não fique no piloto automático!

Hoje, convido você a pensar e agir de forma diferente da habitual e veja como se sente a respeito.

15 Do que você precisa se livrar?

Quais os comportamentos que o atrapalham para seguir uma vida mais leve e fluida?

Seja comportamento, sentimento, mágoa, rancor etc., não importa, aconteceu em um momento passado.

Perdoe-se, perdoe o seu passado, os equívocos, perdoe as pessoas, perdoe a vida. Tempo é vida.

O que você pode fazer hoje para se sentir mais leve a respeito do que precisa se livrar?

16 Por que estou me sentindo assim com relação ao trabalho, à carreira?

De bate-pronto, qual é a palavra que descreve seu trabalho/carreira hoje?

Se for uma palavra positiva é uma boa oportunidade para identificar e saber o que o impulsiona e motiva no trabalho. Lembre-se deste sentimento nos momentos em que estiver passando por qualquer dificuldade na carreira.

Se for uma palavra negativa, o que você pode fazer para melhorar isso?

17 O que você gosta no seu trabalho, carreira, ocupação?

No meu trabalho existem tarefas que gosto e tarefas que eu amo! Eu amo dar aulas, ministrar treinamentos, palestras e processos de coaching. Estar com pessoas e poder proporcionar direcionamento para que tenham uma vida profissional melhor é o que me motiva todos os dias.

Mas é óbvio que existem coisas que não gosto de fazer e que nem sempre posso delegar, tais como tarefas relacionadas à contabilidade da minha empresa, parte administrativa de escritório e logística das viagens.

E com você?

Faça uma relação do que gosta de fazer no seu trabalho. Hoje é um bom momento para focar no lado positivo da sua estrada de carreira.

18 Descubra para o que você não nasceu! Não force sua natureza, aprenda a se adaptar a ela.

Sou uma mulher alta para os padrões brasileiros e tenho essa altura desde adolescente. Todos da minha família me incentivaram a aproveitar essa característica e seguir carreira nos esportes.

Mesmo amando todo tipo de esporte, mesmo tendo uma estatura ideal para ser jogadora de vôlei ou basquete, nunca tive a menor habilidade para qualquer jogo que envolva contato direto com outra pessoa.

Não dá para forçar minha natureza, portanto, acabei me adaptando. Continuo amando os esportes, mas só para assistir! Sou uma torcedora animada!

E você, já sabe o que não faz parte de sua natureza?

19 Quais as coisas inacabadas de sua vida, para as quais você sempre dá uma desculpa para não assumir a responsabilidade?

Às vezes, vamos empurrando com a barriga uma decisão mais difícil, deixamos de decidir porque as consequências serão pesarosas e lidar com isso é desafiador para nós.

Acontece que fingir que algo não incomoda não tira o peso da questão. Quanto mais tempo vamos deixando passar, parece que mais complicada a situação fica, portanto, hoje é dia de decisão.

Reveja quais são as coisas que estão inacabadas e trace uma meta para solucioná-las.

20 O que significa sucesso para você?

Não adianta responder "ser feliz" ou "ter realizações".

Procure pensar e traduzir de maneira específica qual é a sensação do sucesso para você. Assim como maternidade e paternidade são experiências diferentes para cada pessoa, o exercício da liderança não é o mesmo para cada líder. O sucesso também se trata de uma vivência única para cada pessoa que o almeja.

Portanto, vale pensar melhor sobre o que você espera dessa experiência chamada sucesso, assim saberá quando chegar lá, ou melhor, se já não o tem!

21 A posição em que eu atuo está me proporcionando autoestima?

Antes de tudo, é preciso entender que a autoestima é uma condição mutável que define como está sua autoimagem. Como a própria palavra já diz em seu prefixo, é uma avaliação subjetiva de como você se enxerga.

Com base nisso, vamos pensar se sua atuação, neste momento, em seu trabalho reflete quem você é. Nem sempre conseguimos trabalhar numa empresa que tem a ver com o nosso estilo, mas se a tarefa tem "a sua cara" então está valendo também!

22 Qual foi o maior obstáculo que você superou nesse último ano?

Quem não tem dificuldades na vida?

Sempre que estou na frente de uma plateia penso comigo que todas aquelas pessoas estão enfrentando uma batalha, algumas mais simples, outras batalhas mais pesadas e complexas, mas todos enfrentamos obstáculos.

Reveja o ano que passou e pense no maior entrave que enfrentou. Pense como estava no momento que aquele evento aconteceu e, o mais importante, veja como conseguiu caminhar até aqui!

Parabéns por escolher seguir mesmo quando você estava para desistir.

23 Cite uma pessoa inspiradora para você nesta fase de sua vida.

Pense numa pessoa que admira. Pode ser uma pessoa famosa, uma personalidade histórica, alguém da sua família ou do trabalho.

Agora reflita e escreva por que a admira.

O que essa pessoa fez que lhe causou admiração?

Essa é a resposta da competência que tem valor para você. Se puder, retribua e diga a essa pessoa que a admira. Com certeza ela vai adorar saber.

24 Como seria sua vida hoje se ela fosse diferente? O que seria diferente?

Nem todo dia é legal e temos a tendência de achar que se tivéssemos tomado outra decisão em algum momento do passado, tudo teria sido diferente. Pois bem, o que seria diferente?

Não vale também só pensar em algo positivo, pois uma decisão poderia deixar a situação bem pior. O fato é que jamais saberemos o que realmente teria acontecido, afinal, não aconteceu. Então, foque no aprendizado e siga sua caminhada.

25 O que desperta sua vontade de "ir lá e fazer acontecer"?

Todos nós temos gatilhos que ativam comportamentos, sejam positivos, ou negativos.

Vamos focar no aspecto positivo: mesmo diante de uma tarefa difícil, o que precisa acontecer para você se mexer e ter energia para enfrentar qualquer adversidade para atingir um resultado?

Quando temos consciência do que nos desperta, podemos usar sempre que necessário.

Desperte sua força, elimine seus medos e assuma a direção de sua vida.

26 Se você pudesse tornar um desejo realidade hoje, qual seria?

Todo mundo certamente já ouviu falar da história do gênio que concede três pedidos a quem achar e esfregar a lâmpada, onde ele mora. E quem não gostaria de ter uma chance de seus desejos virarem realidade e, num toque de mágica, realizar, pelo menos, alguns de seus sonhos?

Eu também adoraria conhecer um gênio como o dos contos, mas sei que a vida não funciona bem assim. Nem sempre podemos contar com a boa sorte.

Por isso mesmo temos é que focar no trabalho e sermos nossos próprios realizadores de desejos. Ouse ser seu próprio gênio! É sensacional quando você vê seu sonho materializado. Então, mãos à obra para transformar suas metas e objetivos em algo real.

27 O que você pode fazer e que, se for bem feito, fará uma grande diferença em sua vida?

Convido você a focar no mais importante para sua vida neste momento. E não me refiro somente ao trabalho e às metas que lutamos diariamente para alcançar. Talvez seu relacionamento precise de uma atenção especial, seus filhos, família, sua saúde etc.

Um passo de cada vez: pense numa simples ação que o deixaria mais perto de onde você quer chegar em sua vida.

Vá lá e faça hoje, sem falta!

Diga em voz alta: "Hoje tomarei excelentes decisões porque as tomarei com plena consciência".

28 Quem escolheu sua carreira profissional? Deu certo?

Sua carreira é a somatória de experiências que acontecem a partir dos 12 anos de idade, quando deixamos a infância para iniciar nossa caminhada com um pouco mais de consciência, e que segue até a velhice. Não se limita apenas ao que escolhemos cursar na faculdade, porém, o que decidimos estudar nos direciona para determinados trabalhos.

Quem auxiliou você na época da escolha do curso, seja na faculdade ou curso técnico? Deu certo?

A boa nova é que nenhum conhecimento é perdido. Se você, porventura, escolheu estudar algo que hoje não tem significado para você, não se preocupe, esse conhecimento está aí e você poderá acessá-lo a qualquer momento de sua vida.

29 Qual hábito saudável você adquiriu neste último ano?

Qualquer hábito pode ser transformado, e ter controle de suas ações pode trazer resultados positivos na sua produtividade, na estabilidade financeira e até mesmo na sua felicidade.

Praticar atividade física, dormir melhor e mais cedo, ter alimentação saudável, beber mais água, meditar, dedicar-se a um hobby etc.

E aí, você conseguiu melhorar algum aspecto da sua vida no ano que passou? E isso tem deixado você mais perto da sua meta?

Que tal começar hoje a adquirir outro novo hábito saudável?

30 O que te impede de tentar algo novo?

Albert Einstein disse que *"alguém que nunca cometeu erros nunca tratou de fazer algo novo"*. Muitas vezes estamos no piloto automático da nossa rotina, vivendo de maneira hipnotizada e sem perceber que o tempo passa e não volta jamais.

Convido você hoje a fazer algo diferente, algo simples. Escolha um outro caminho para ir até o trabalho, escolha algo diferente para comer, mude algo de lugar na sua mesa de trabalho ou faça qualquer outra coisa nova, desde que encerre seu dia sabendo que aprendeu por tentar algo novo.

31 Que direção você acha que sua vida está tomando?

Baseado no seu trabalho e ocupação que tem hoje e no seu estado de saúde atual, qual direção você acha que sua vida está tomando?

Esse caminho está alinhado ao que você realmente tem como meta de vida?

Existe algo que possa fazer hoje para deixar você mais perto do que deseja?

Anote aqui 5 insights que teve neste mês de Janeiro:

1 _____
_____
_____
_____

2 _____
_____
_____
_____

3 _____
_____
_____
_____

4 _____
_____
_____
_____

5 _____
_____
_____
_____

Daily Shots

FEVEREIRO

INSPIRAÇÕES
PARA COMEÇAR
BEM O SEU DIA
NO TRABALHO

1. Olhe para o que vem fazendo ultimamente e se pergunte: o que sacrificarei se continuar nesse caminho por 5, 10 ou 20 anos?

A famosa frase popular de Robert Heinlein *"There ain't no such thing as free lunch"*, em tradução literal: *"Não existe almoço grátis"*, expressa a ideia de que é impossível conseguir algo sem dar nada em troca. Quanto vai lhe custar suas ações no futuro?

Não importa o que as pessoas pensam, se você acredita que vale a pena, lute por isso!

2. Se você não tivesse nenhuma obrigação hoje, o que você faria?

A vida adulta responsável requer o cumprimento de inúmeras obrigações e, às vezes, ficamos fartos e nos sentimos atolados de tanta coisa para fazer. A sensação é de que não estamos vivendo e curtindo a vida como deveríamos.

Esqueça suas obrigações por um momento. O que você escolheria fazer hoje?

Eu tenho uma lista de pequenos prazeres para mim e sempre que posso me presenteio com uma pequena recompensa quando cumpro minhas obrigações. Isso tira um pouco o peso dos deveres diários.

Faça uma lista de pequenas recompensas para você. Pode ser qualquer coisa, não precisa envolver dinheiro, e procure focar numa delas quando o dia estiver pesado para você.

3. Quais medidas você poderia tomar para consertar os estragos ou deixar as coisas melhores, mesmo temporariamente?

Qual área de sua vida não está legal?

Reflita sobre uma atitude que você possa tomar hoje para consertar ou deixar a situação melhor. Foque no que pode controlar, ou seja, nas suas ações, e tome a iniciativa para resolver algo que está lhe incomodando.

4. Descreva dois passos que você possa tomar e que, imediatamente, ajudariam a criar progresso rumo ao seu objetivo.

Vamos ser práticos e específicos. O que você pode fazer hoje que ajudará na caminhada em direção aos seus objetivos?

Destaque pelo menos dois passos simples que possa fazer hoje e faça. Cada meta cumpre uma função específica.

Quando bem pensadas, definidas e acompanhadas, as metas são grandes recursos para estimular o trabalho e conseguir atingir o objetivo final, um passo de cada vez.

5 Quando foi que você se sentiu mais feliz em sua vida?

Neste momento em que escrevo esta parte do livro me lembro de inúmeros eventos recentes que me deixaram muito feliz, como a festa do meu último aniversário, quando reuni meus melhores amigos para celebrar, dos depoimentos espontâneos de alunos que recebo sobre como minha aula os ajudou a tomar decisões mais assertivas e, claro, dos momentos de interação com meus afilhados.

O mais interessante que observei em mim foi que coisas simples do cotidiano me fazem muito feliz. Hoje tenho essa consciência, mas confesso que nem sempre foi assim.

Às vezes, um dia feliz é muito raro. E com você?

Quando foi que se sentiu feliz?

Que tal fazer do dia de hoje um dia especial para ser lembrado?

6 Que conselho você daria a um estudante no começo do ensino fundamental?

Considero que na vida temos os períodos críticos, em que existe tempo certo e ideal para todas as coisas que nos cercam, e que a sabedoria vem com o tempo.

Mas eu adoraria ter ouvido para estudar com atenção e curtir momentos com diversão!

Talvez um conselho que daria a um estudante, ainda que ele não tivesse certeza do curso escolhido, seria investir seu tempo com vontade de estar lá e aprender, pois nenhum conhecimento será perdido.

E você, qual conselho daria?

Ou melhor, qual conselho gostaria de ter ouvido?

7 Quais tarefas do seu trabalho você poderia delegar a alguém?

Muitos profissionais são centralizadores e nem percebem, ficam com a síndrome de que "ninguém faz tão bem quanto eu!".

A delegação envolve confiar que a outra pessoa fará a tarefa da melhor maneira que puder. Com absoluta certeza, jamais alguém fará como você, talvez a pessoa faça melhor ou pior, diferente com certeza, mas jamais igual.

Veja bem que não é "delargar" uma tarefa. A delegação envolve controle para que tudo seja feito com excelência e no prazo.

Quais tarefas você poderia confiar a alguém?

Invista seu tempo treinando alguém para desempenhar bem uma tarefa hoje e assim, num futuro próximo, você terá mais tempo para se dedicar às atividades mais estratégicas.

8 O que lhe inspira hoje?

A inspiração é quando brotam ideias de forma espontânea e natural. A inspiração mostra que o ser humano precisa sair do seu mundo interior para aprender constantemente com os outros.

É tudo aquilo que evoca em você algo especial. Um momento de inspiração é uma espécie de momento mágico em que uma pessoa libera toda sua criatividade e imaginação graças a um lampejo de luz que dá lugar a uma ideia brilhante, original e genuína.

E aí, qual é a sua inspiração de hoje?

9. Qual é a melhor parte da sua vida neste momento?

Todos nós temos várias áreas de nossas vidas, tais como: financeira, profissional, espiritual, intelectual, relacionamento íntimo, familiar e social, lazer, parte física e emocional.

Dentre todas essas áreas, qual hoje está sendo a melhor parte de sua vida?

Cuide para que continue melhorando a cada dia.

10. Quais são os principais valores na sua vida? Estão em sintonia com os valores de sua empresa?

Os valores são adquiridos desde a nossa infância, com quem nos criou, e com influência do meio em que vivemos. Podem ter novos significados ao longo de nossa vida. São eles que determinam todas as nossas escolhas e, portanto, é importante saber quais são os principais valores que regem suas escolhas diárias.

Dê uma olhada nos valores que, provavelmente, devem estar escritos num quadro na parede da sala de reunião de sua empresa e veja se estão congruentes com os seus. Se estiverem de acordo, excelente, bom para você!

Agora, se estiverem incongruentes, provavelmente você terá que fazer algo a respeito, pois é muito complicado ser próspero num ambiente onde os valores são incompatíveis.

11 Como as pessoas estão tratando você no trabalho? O que poderia ser melhorado?

Todo mundo quer ser bem tratado em qualquer ambiente.

No trabalho, os profissionais buscam respeito, consideração e até admiração.

Como tem sido com você em seu trabalho?

O que pode fazer hoje para melhorar a forma como as pessoas o enxergam no trabalho?

12 E como andam suas finanças? Seus projetos financeiros de poupar estão funcionando?

Convido você a ler a seguinte afirmação em voz alta:

"Eu (seu nome completo) hoje começo a criar um novo relacionamento com o dinheiro. O dinheiro é bom, limpo e útil para meu crescimento, satisfação e bem-estar. O dinheiro traz coisas positivas para a minha vida. O sucesso que tenho traz dinheiro e riqueza para mim e para os que estão à minha volta. Eu mereço ser próspero e ter dinheiro em abundância. O dinheiro é meu amigo e o valor aumenta a cada dia onde eu investi. Sucesso e dinheiro sempre me acompanham, aqui e agora. Peço aos meus antepassados que passaram por dificuldades devido à falta de dinheiro, para me abençoarem e me darem permissão para fazer diferente".

Releia quantas vezes puder até realmente internalizar e passe a colher frutos financeiros.

13 Quais mágoas, dores, angústias, raivas e ressentimentos sinto em relação ao meu trabalho atual?

Você se ressente do seu trabalho?

Quais são os sentimentos que tem sobre sua empresa, chefe e colegas de trabalho?

Dias ruins e esquisitos todos nós temos, mas manter e cultivar sentimentos ruins só fará mal a você!

O que você pode fazer hoje para mudar este cenário e começar a ter sentimentos positivos?

14 Onde você encontra boas ideias?

Já é comprovado cientificamente que as ideias revolucionárias quase nunca surgem em um momento de grande perspicácia, ou em um surto repentino de inspiração.

As ideias mais importantes levam tempo para evoluir e passam um período adormecidas antes de se concretizarem. Apenas quando as ideias completam em média dois, três ou até 10 anos amadurecendo, é que elas se tornam úteis de alguma maneira.

Isso ocorre, em parte, porque as boas ideias surgem da colisão de palpites menores que formam, quando somados, algo maior que eles próprios. Portanto, é importante saber onde e com quem compartilhar esses palpites.

Quem são as pessoas com quem você pode trocar palpites poderosos para sua vida?

15 O que você gostaria de perguntar para seu chefe hoje?

Que tipo de pergunta poderia fazer ao seu chefe que pudesse lhe trazer mais paz interior? Se não sabe a pergunta, peça por feedback.

Feedback é um retorno específico, positivo ou negativo, sobre um desempenho ou comportamento.

Você tem o hábito de pedir feedback para seu chefe? Saber ouvir, acolher e analisar as devolutivas que recebemos é crucial para crescermos na empresa.

16 O que você pode fazer hoje no trabalho que, se for bem feito, fará diferença em seus projetos?

Definir as mini metas e passo a passo é fundamental para alcançar excelentes resultados profissionais. Pense sobre um micro passo que pode dar hoje que o deixará mais próximo do objetivo final de sua empresa.

17 Você faz dinheiro suficiente?

Cuidado com os verbos: você não *ganha* dinheiro, você *faz* dinheiro! O verbo *ganhar* nos remete a algo passivo, como uma surpresa, bem próprio da cultura brasileira assistencialista. Eu *ganho* um presente, *ganho* algo inesperado, surpreendente!

Quando alguém falar para você *"não estou ganhando dinheiro suficiente"*, você pode rebater com a pergunta: *"você não está fazendo dinheiro suficiente?"*.

O verbo *fazer* nos remete à responsabilidade e ação.

Então vamos fazer dinheiro através do nosso trabalho?

Tenha um dia produtivo!

18 O que é ter propósito? Qual seria o seu?

Muita gente escreve e fala sobre isso!

Propósito é sobre as estradas que escolhemos percorrer. Se escolhemos as asfaltadas e planas, vamos andar mais rápido, mas não aprenderemos muita coisa, já que o aprendizado está nos desafios (vencidos, ou não). Se escolhemos as estradas muito esburacadas, podemos ficar tão concentrados em não cair nos buracos, que perdemos a paisagem.

Que estradas estamos escolhendo? Quase tudo é escolha. E, em cada escolha, há várias renúncias.

Propósito é também sobre o jeito que estamos percorrendo essas estradas. Pagando algum preço alto demais? Abrindo mão de algo valioso demais? Quem tem propósito não negligencia o que mais importa. Renuncia a algumas coisas, mas nunca ao que o faz realmente feliz.

Pense nos seus propósitos e nas estradas que você irá escolher.

Daily Shots | **Fevereiro**

19 Seu dia começou com o pé esquerdo ou direito?

Nem todo dia é do jeito que planejamos.
Ter uma atitude positiva perante as adversidades não as elimina, porém, pode ajudar bastante!
Como é seu humor quando algo não sai do jeito que você planejou? Como você pode ser mais flexível?

20 O que acontece quando você trabalha isolado por um longo período?

Meu trabalho é sempre estar num palco com grandes plateias, ou numa sala de aula cercada de alunos. Mas, também tenho períodos de isolamento para a criação de conteúdo e momentos para escrever meus artigos e livros.
Eu já me acostumei a trabalhar sozinha, mas não por muito tempo. Sempre que posso saio para almoçar ou jantar com amigos para trocar ideias e desobstruir os pensamentos.
Muitas pessoas sentem que não são tão produtivas sozinhas.
E você? O que acontece quando precisa se isolar para fazer algum trabalho?

21 Como colocar em ordem seu dia a dia, de acordo com a importância das ações diárias?

Saber diferenciar aquilo que é urgente do que é importante é uma competência básica para que você colha bons frutos no trabalho e tenha mais tempo durante o dia.

Pergunte para alguém que você considera organizado, como ele prioriza as tarefas do dia a dia.

Aprenda na prática com quem já tem a competência.

22 O que você faz para não perder o foco?

Somos interrompidos a todo momento e bombardeados com informações de todos os lados. Várias delas são interessantes, mas nem todas importantes.

Temos que nos manter conscientes sobre o trabalho que estamos efetuando para não deixar que nossa atenção seja desviada para algo que vai nos atrapalhar.

Se você se distrai com facilidade, reveja esse comportamento e adote medidas para manter seu foco onde realmente é necessário.

23 O que você conquistaria utilizando seus três maiores talentos?

Primeiramente, destaque quais são os seus três maiores talentos e então pense no que poderia conquistar utilizando-os.

Aproveite e verifique se esses talentos estão sendo usados por sua empresa atual.

24 Se você fosse colocar na balança pelo menos três opções para solucionar algo no trabalho, quais seriam?

Administrar problemas e encontrar soluções tem sido o dia a dia dos profissionais nas empresas, sejam problemas internos ou externos, com mercado e concorrência.

Pensar rápido em soluções simples, práticas e aplicáveis é uma habilidade valorizada em qualquer lugar, portanto, parece-me importante treinar e desenvolver seu cérebro para que foque em encontrar soluções.

Identifique o maior problema que tem que resolver hoje e pense em pelo menos três opções para solucioná-lo. Converse com colegas que confia e admira para que possam ajudar você nesse processo.

25 Minha identidade está congruente com meu trabalho?

A forma como você se vê e as competências que possui estão alinhadas com o trabalho que escolheu para atuar neste momento?

É importante termos essa conexão com o tipo de negócio, missão e valores da empresa, caso contrário, será difícil atingir bons resultados.

Observe no dia de hoje se o ambiente de trabalho está alinhado com a sua identidade.

26 Como suas emoções têm afetado seus pensamentos e comportamentos no trabalho?

Nossas emoções têm influência direta sobre nosso comportamento. O pensamento sempre precede a ação e por isso precisamos cuidar com o que se passa em nossa cabeça.

Nem sempre o que pensamos é real, porém, a emoção que se sente (mesmo num pensamento hipotético) é genuína!

Quanto as suas emoções têm afetado seu comportamento no trabalho?

Convido você a ter consciência do que está sentindo no dia de hoje e a direcionar seus pensamentos para algo positivo e mais otimista.

27 Qual seria o melhor momento para ter uma conversa mais longa e significativa com seu colega de trabalho?

As pessoas que trabalham conosco nem sempre são nossos amigos, afinal de contas, os amigos nós escolhemos. Já se tratando de colegas de trabalho, nem sempre temos a mesma opção, normalmente nós os herdamos.

Escolha uma pessoa com a qual não tenha tanta afinidade no trabalho e busque um momento para conhecê-la melhor, numa conversa livre de julgamentos.

Você verá que sempre podemos aprender algo novo. Esteja aberto para se surpreender com o quão interessante é ser diferente.

28 Qual competência seria melhor desenvolver neste momento no trabalho?

Sempre temos algo a desenvolver, estudar e aprender. Levando em consideração seu trabalho atual e posição da empresa no mercado, qual competência seria melhor você buscar desenvolver?

Pesquise sobre essa competência, busque literatura e treinamento para aprender, crescer e avançar na carreira.

29 Quais sonhos lhe trazem empolgação e motivação?

Os sonhos nos movem e definem a essência do que é ser humano. Sonhar é vital para a nossa vida.

Quais são suas aspirações atuais?

Quais sonhos mexem com suas emoções, empolgam e o impulsionam?

O que você pode fazer hoje para caminhar na direção deles?

Anote aqui 5 insights que teve neste mês de Fevereiro:

1 _____
_____
_____
_____

2 _____
_____
_____
_____

3 _____
_____
_____
_____

4 _____
_____
_____
_____

5 _____
_____
_____
_____

MARÇO

Daily Shots

INSPIRAÇÕES
PARA COMEÇAR
BEM O SEU DIA
NO TRABALHO

1 Quem inspira você?

Destaque aqui quais são as cinco pessoas que mais exercem influência sobre você e lhe inspiram a ser uma pessoa melhor. Reflita sobre o que elas fazem que desperta essa inspiração.

As ações das pessoas que nos inspiram indicam o que realmente valorizamos e queremos experimentar em nossas vidas.

Será que suas atitudes inspiram alguém?

Continue a fazer o bem, pois neste momento alguém pode estar se inspirando em você!

2 O que tira sua paciência no trabalho?

Isaac Newton relaciona diretamente suas descobertas à sua calma: *"Se fiz descobertas valiosas, foi mais por ter paciência do que qualquer outro talento."*. Se pela calmaria ele foi o cientista que causou maior impacto na história da ciência, o que você está deixando de fazer pela sua carreira por conta da impaciência?

São as situações que exigem rapidez?

Os acontecimentos provocam suas atitudes impacientes?

Tudo o que virou urgente já foi protelado várias vezes antes. Até que sucessivos adiamentos tornaram a atividade urgente. A sensação de impaciência diante da pressa é a escolha natural de quem deixa tudo para mais tarde.

A raiz de uma árvore escondida sob a terra é responsável pela sua beleza externa. Ou seja, o oculto forma o visível. O exterior é reflexo do interior.

Que tal no dia de hoje agir com paciência e sem pressa?

3. A vida que você tem é a vida que você deseja?
O que faria para transformá-la?

Seu estilo de vida atual é o que tinha imaginado para você na idade em que está hoje?

A vida que você tem hoje é realmente a que desejava experimentar?

Podemos usar nossa vida para alcançar realizações, podemos solucionar problemas e satisfazer todos os nossos próprios desejos e os desejos dos outros.

O que pode ser mais significativo do que isso?

4. Se você pudesse mudar algo no dia de hoje, o que seria?

Essa é uma boa reflexão sobre os desafios que temos que enfrentar. Sempre considero uma situação difícil como uma boa oportunidade para desenvolver algo novo em mim.

Ludwig Beethoven dizia que *"todo o mal traz consigo algum bem"*.

Como descobrir os benefícios escondidos atrás de um acontecimento aparentemente ruim?

O diferencial de quem é realizado na carreira está na maneira de encarar as situações. Nossa forma de enxergar um fato é o que irá transformá-lo num problema, ou numa oportunidade.

5. O que faz você feliz no trabalho?

Minha carreira e todos os meus trabalhos são direcionados à área de gestão de pessoas. Eu amo trabalhar com desenvolvimento de carreira e me faz muito feliz compartilhar das conquistas profissionais das pessoas que passam por minha orientação.

Mas, nem sempre foi assim. Comecei minha carreira numa área totalmente diferente e demorei para me encontrar e saber o que realmente me fazia feliz.

E você, sabe o que lhe faz feliz no trabalho?

Não pense na tarefa em si, mas no que seu trabalho pode proporcionar ao outro, ao seu país, à uma causa ou à sociedade.

6. Que características pessoais foram desenvolvidas e utilizadas para seu sucesso atual?

Ao longo de nossa carreira temos a oportunidade de exercitar diferentes habilidades e também aprender muito com elas.

Alguns empregos requerem habilidades específicas para um profissional atingir o sucesso em sua área. E por não serem comuns em todas as pessoas, essas habilidades podem ser diferenciais e decisivas na sua carreira.

Se pudesse destacar, quais foram as habilidades que você desenvolveu para desempenhar bem seu trabalho?

Lembre-se de estar sempre em constante desenvolvimento.

7. Quais bloqueios emocionais estão limitando você hoje?

O bloqueio emocional é uma barreira psicológica que colocamos para nós mesmos e que nos impede de perceber com clareza alguns aspectos da vida.

Todos nós já sofremos algum bloqueio emocional: medo, insegurança. Nossos sentimentos de inferioridade são os sintomas mais frequentes do bloqueio emocional, que nos impedem de ter uma vida plena.

Então, ao menor sinal deles em sua vida, procure por um psicólogo e peça ajuda.

8. Em qual ambiente você escolhe ficar quando precisa se concentrar?

Tenho observado pelas empresas por onde passo que os profissionais escolhem ambientes mais reservados quando precisam desenvolver um trabalho que requer concentração. Muitos escolhem a sala de reunião, suas casas ou até esperam todos os colegas irem embora da empresa, assim conseguem um ambiente mais calmo e tranquilo. Ou seja, para fazer um trabalho que requer concentração, os funcionários escolhem qualquer lugar, menos a sua mesa de trabalho!

Considero a mesa de trabalho um lugar de interrupções!

Para mim, já não faz mais sentido algum o profissional ter que ir a um único lugar, num determinado horário, para fazer um trabalho que só precisa da dedicação dele.

E para você, qual ambiente funciona para fazer trabalhos que requerem concentração?

9 Faça uma lista dos prós e contras do seu trabalho atual. Qual o pior cenário possível? E o melhor?

Uma simples lista dos pontos positivos e negativos pode lhe mostrar as razões pelas quais você continua nesse ambiente de trabalho.

Pense na pior situação que pode acontecer na empresa. Como seria? Muitas pessoas evitam esse tipo de pensamento, com medo de que aconteça.

Existe uma grande diferença entre considerar um cenário desfavorável e desejar que algo ruim aconteça. Temos medo do que ainda não aconteceu, então, estar preparado para um cenário adverso pode nos trazer a tranquilidade de saber como lidar com aquela situação, caso ela venha a acontecer. É daí que surgem os planos de contingência e prevenção.

E agora, pense no melhor cenário possível que pode acontecer no trabalho. Como seria?

10 Qual é o seu grau de ambição hoje?

Ambição é um anseio veemente de alcançar determinado objetivo, de obter sucesso. É um forte desejo de poder ou riquezas, honras ou glórias. Não tem nada de errado em ter ambição, porém, como tudo na vida, em excesso pode prejudicar.

Ambição é o impulso que move você quando sua vontade é de desistir. Pense sobre o dia de hoje e, se pudesse medir numa escala de 1 a 10, qual seria seu grau de ambição?

11 Você já se sentiu angustiado com os rumos da sua carreira?

A angústia da vida executiva é algo digno de reflexão.

Por definição, angústia é a sensação psicológica que se caracteriza pelo sufocamento, pelo peito apertado, ansiedade, insegurança, falta de humor e com ressentimentos aliados à alguma dor.

Por que os profissionais sentem angústia sobre os rumos da sua carreira?

A resposta é simples, mas a pergunta não é facilmente resolvida.

A maioria dos profissionais que têm essa sensação, está vivendo no piloto automático, distraindo-se para fazer as inúmeras tarefas urgentes de todos os dias e sempre estão correndo, mas não sabem ao certo para qual direção. Tomam decisões erradas diariamente por desconhecerem seus reais propósitos profissionais.

E você, sente-se angustiado?

O que fará a respeito?

12 Qual tarefa simples você tem postergado? Anote em sua agenda para realizá-la!

Existem tarefas que gostamos de fazer e existem tarefas que "temos que" fazer. As que chamo de "tenho que" são aquelas rotineiras, chatas, esquisitas, que não gostamos.

Neste caso, a tendência é postergar, mas isso pode prejudicar você. Deixar pendências, suga sua energia e você não consegue estar 100% pronto para se engajar em novos trabalhos.

Uma coisa por vez: estabeleça hoje a meta de realizar pelo menos uma tarefa simples que tem postergado e tire logo da frente!

13 Se você criasse uma empresa, de qual ramo seria?

Pode ser que empreender não esteja em seus planos ou sonhos, mas se você fosse criar uma empresa, em qual setor ela estaria inserida?

Essa resposta já diz a área que você gosta e deseja trabalhar. Mesmo não sendo dono de empresa, você atua em algo parecido com o que gostaria que fosse seu próprio negócio?

Se sim, excelente!

Se não, o que fará para ter essa experiência?

14 Você tem obtido sucesso em seus ideais ou tem se contentado com prêmios de consolação no trabalho? Eles nos distraem do que realmente queremos para a nossa vida.

Vamos imaginar uma competição qualquer da qual você tenha participado. Ao final, você não ganhou o melhor prêmio e, sim, o chamado prêmio de consolação. Na hora você pode até ter ficado um pouco mais alegre, mas não era o que realmente queria.

Como têm sido seus resultados no trabalho?

Estão mais alinhados com seus ideais, ou não?

15 Qual foi o último curso que você fez? Há quanto tempo?

Estudar deve ser uma constante para seu desenvolvimento pessoal e profissional. A responsabilidade por se aperfeiçoar sempre deve ser do profissional e nunca da empresa.

Sempre oriento os profissionais para que peçam que sua empresa pague o curso que desejam, afinal, geralmente, as empresas têm mais recursos financeiros. Porém, caso receba uma negativa, você deve investir em si mesmo!

Se não tem coragem de pagar um curso para você, porque sua empresa deveria?

Vamos pensar no próximo curso?

16 O que precisa acontecer hoje para que você diga que o tempo foi utilizado de maneira útil?

Eu detesto perder tempo e imagino que você também valorize suas preciosas horas. No trabalho, nem todo mundo pensa assim, as pessoas têm tempos diferentes para resolver algo e precisamos ter paciência com o tempo do outro.

Para mim, conseguir cumprir a lista de tarefas que foram programadas com uma agenda apertada, dá a sensação de que meu tempo foi utilizado da maneira apropriada.

E para você?

17 Há algo que você não possa fazer hoje?

Não podemos controlar tudo na vida. Eu tenho uma premissa comigo: não coloco minha atenção e nem minha energia em algo que eu não possa controlar. Simplesmente eu confio que o melhor irá acontecer.

No que tange às minhas ações, naquilo que realmente posso fazer, me desdobro para conseguir o que quero, mas deixo para lá o que não cabe a mim.

Hoje, existe algo que você não possa fazer absolutamente nada a respeito?

Como convive com essa libertação do controle?

18 Você é capaz de perceber quando está satisfeito?

Somos os mestres da insatisfação. Afinal, estar insatisfeito nos impulsiona no trabalho para atingir nossos resultados. Somos levados a ser os eternos insatisfeitos.

Mas você é capaz de perceber quando já está satisfeito com algo que conquistou?

Será que você realmente precisa de mais? Pode ser algo material, como uma casa ou um carro novo, outros bens materiais e também sobre sua carreira.

Será que aquele cargo é melhor?

Mudar de empresa só por causa do salário realmente vale a pena?

E com os seus relacionamentos?

Será que o amor realmente acabou, ou você não consegue se dar por satisfeito?

Reflita sobre sua capacidade de identificar o momento de parar e se dar por satisfeito.

19 Seus conhecimentos especializados são constantemente procurados no trabalho?

O mercado de trabalho está sempre em constante movimento e considero que educação e real aprendizado requerem certo tempo. Somos humanos e não máquinas que aprendem num download de arquivo. Temos limitações e nosso processo de aprendizagem é mais lento.

Por isso, focar no conteúdo certo para sua carreira é necessário. Assim, você não perde tempo, nem fica fora do que as empresas estão buscando.

Os conhecimentos que possui hoje estão em alta no mercado?
O que você pode fazer para se manter competitivo?

20 Como utilizar novas habilidades no contexto do seu problema?

"Nós não podemos resolver um problema com o mesmo estado mental que o criou." (Albert Einstein)

Para resolver seus problemas, o ideal é se afastar um pouco da situação e mudar a estratégia de como agir. Procure se distanciar desse contexto para ter uma visão holística e poder identificar quais habilidades serão necessárias para resolver seus problemas.

Eu tenho uma dica que uso comigo: quando estou com um problema, penso naquela situação como se fosse o problema de uma amiga, de outra pessoa.

Qual conselho eu daria a essa pessoa que resolveria o problema?

21 Se você pudesse ser o melhor em algo, no que seria?

A sociedade em que vivemos é pautada numa competição acirrada. Todos buscamos ser melhores, mas não dá para ser o melhor em tudo.

Verifique seus talentos e, se pudesse escolher algo no qual fosse o número 1 disparado perante outras pessoas, em que seria?

Que tal hoje pesquisar mais sobre essa competência e buscar desenvolvê-la?

22 O que você considera sua maior façanha?

Qual foi seu maior feito em sua vida até este momento?
O que considera sua maior realização?
Não me refiro somente ao trabalho. Talvez tenha sido construir uma família harmoniosa, educar seus filhos, ou até mesmo contribuir com trabalhos voluntários em sua comunidade.

Validar nossas conquistas é muito importante e funciona como checkpoints de carreira, em que chegamos num determinado lugar, comemoramos, recarregamos as baterias e nos sentimos mais fortes para uma nova etapa.

Celebre suas conquistas hoje.

23 Qual foi a última situação desafiadora que enfrentou com êxito no trabalho?

Nossos trabalhos, muitas vezes, parecem campos de batalhas! Considero o meu como um game, no qual cada fase é mais desafiadora que a anterior.

Qual foi a última situação complicada na qual esteve envolvido?

O que aconteceu e o que você fez para resolver ou minimizar aquele problema?

Observe as inúmeras habilidades que você possui para solucionar problemas e foque nelas. Certamente elas o ajudarão numa próxima situação.

24 Como você gostaria de viver a sua vida profissional?

Muitas pessoas têm ilusões sobre o que é o trabalho.

Observo muitos profissionais reclamando da segunda-feira, por exemplo, ou como se fossem os únicos no mundo a terem contas a pagar.

Ninguém o obrigou a nada. E, sim, todos temos contas a honrar.

Mas, pense em como gostaria de viver sua vida profissional: o que tem que acontecer para que você experimente uma carreira de plena satisfação?

O que você fará para conquistar esse cenário?

25 Que passo você dará hoje para manter a comunicação mais aberta no trabalho?

Comunicação é uma necessidade básica de todo ser humano. Uns fazem com maestria, outros têm uma dificuldade maior, mas é fato que todo mundo tem que se comunicar na vida!

No trabalho, para se ter relações bem sucedidas, a comunicação clara e fluida é indispensável.

O que você pode fazer hoje para colocar em prática um diálogo mais aberto e minimizar as barreiras da comunicação?

26 Como você descreveria sua agenda diária?

Aprendi a gerenciar os eventos durante meu dia. Na verdade, meu planejamento de agenda hoje já é feito com muita antecedência, o norte é anual, depois mensal, semanal e diário.

Eu sempre deixo um tempo para possíveis imprevistos na minha agenda, assim consigo administrar melhor os contratempos que surgem.

Como é sua agenda?

Como estão seus compromissos para hoje?

27 Qual é a coisa mais valiosa que você possui?

Damos valor a muitas coisas que são importantes para nós, mas existe uma hierarquia entre todas elas.

Você consegue dizer o que é mais valioso para você neste momento?

Observe que a pergunta se refere a algo que já possui e não que esteja buscando conquistar.

Precisamos saber o que realmente importa para nós para jamais nos perdermos na vida e não arriscarmos o que é valioso por um prazer momentâneo, ou empolgação passageira.

28 Quais são suas vantagens competitivas?

O conceito de vantagem competitiva se refere à forma pela qual a estratégia escolhida e seguida pela organização pode sustentar o seu sucesso.

Para especialistas em mercado, a sua vantagem competitiva sobre os concorrentes deve ser: difícil de imitar, única, sustentável, superior à competição e aplicável a múltiplas situações.

E aí, o que você tem ou faz que os outros não?

29 Você tem integrado suas necessidades pessoais, familiares e de trabalho?

Necessidade é o imprescindível, o que não se pode evitar. Todos nós temos necessidades e elas mudam à medida que as alcançamos.

Apesar de sabermos que nosso comportamento deve mudar em cada ambiente – ou seja, a forma como me comporto no trabalho deve ser diferente da forma como me comporto com meus amigos, e por aí vai –, as necessidades não devem estar separadas.

O maior erro de um profissional é separar suas necessidades pessoais, familiares e de trabalho, quando na verdade devemos integrá-las para que tenhamos plenitude e uma vida com mais satisfação.

30 Qual salário você deveria estar recebendo hoje? Vamos determinar metas financeiras?

Não como uma meta do próximo passo de sua carreira, mas sim, hoje: quanto você deveria estar recebendo pelo trabalho que faz?

Muitos profissionais acreditam que estão ganhando menos do que mereciam. Todos nós merecemos uma vida melhor e digna, isso não significa que a teremos de mão beijada. Você terá que lutar por isso!

Pense na sua própria vida. Recomendo que você faça uma autoanálise, dizendo a si mesmo a verdade sobre sua realidade atual, sobre seu comprometimento e resultados que gera para a sua empresa.

O objetivo aqui é despertar em você a consciência de quanto precisa aprender, a fim de criar as oportunidades de fazer mais dinheiro em sua vida.

Daily Shots | **Março**

31 Qual é o seu maior sonho?

O ser humano precisa sonhar! Os sonhos nos movem a conquistas, muitas vezes, inimagináveis.

Hoje, qual é o seu maior sonho?
Seria conquistar algum bem material?
Ou formar uma família? Filhos?
Cargo especial na empresa?
Um reconhecimento de mercado pelo profissional que é?
Que tal pensar em alguns caminhos para tornar seu sonho possível?

Anote aqui 5 insights que teve neste mês de Março:

1 _____
_____
_____
_____

2 _____
_____
_____
_____

3 _____
_____
_____
_____

4 _____
_____
_____
_____

5 _____
_____
_____
_____

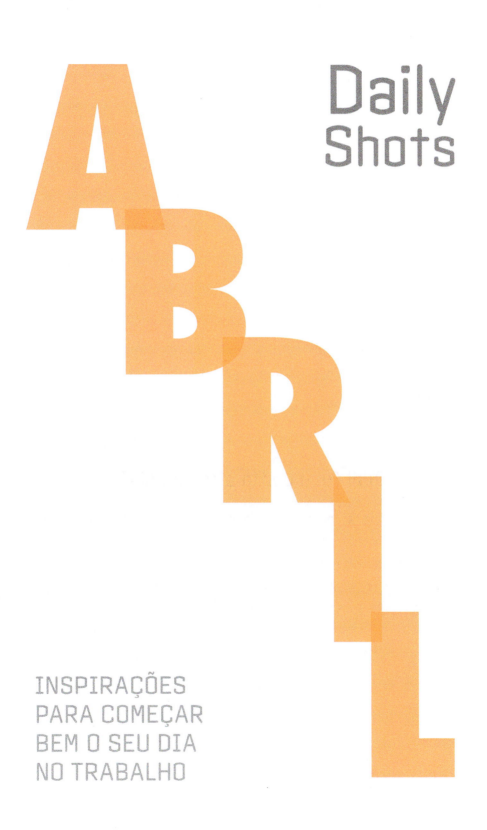

ABRIL

Daily Shots

INSPIRAÇÕES
PARA COMEÇAR
BEM O SEU DIA
NO TRABALHO

1. Quais mentiras você conta para si mesmo que o impedem de ser feliz plenamente?

Muitas vezes, para não enfrentarmos uma situação mais difícil, contamos mentiras para nós mesmos e nos contentamos com "prêmios de consolação". Como se isso nos livrasse de uma possível frustração, o que, certamente, não acontecerá.

Quais mentiras têm impedido você de romper barreiras e alcançar o que realmente deseja em sua vida?

O que falta para você encarar a verdade e traçar um plano de ação para mudar esse cenário?

Que no dia de hoje você reflita sobre as mentiras que o desviam da sua real felicidade e esteja aberto para visualizar diferentes formas de ajustar a direção.

2. Qual foi o ponto alto de hoje?

Que tal começar seu dia mudando a forma de pensar sobre seu trabalho e suas tarefas a fazer!

Obviamente, todos temos desafios e estamos enfrentando algum tipo de batalha. Não sei qual é a batalha que você está lutando, porém, mesmo na luta, sempre há um bom momento no dia.

Convido você a ficar atento, neste dia, a quantos momentos legais e simples você vivencia e que podem ser eleitos como pontos altos.

O único momento que você tem é o agora. Fique presente!

3 Que pensamentos positivos lhe ocorrem com frequência e o fortalecem para vencer na vida?

Tenho treinado bastante meus pensamentos para direcioná-los ao aspecto positivo. Não se trata de ser uma "Pollyanna" e não enxergar a realidade mas, sim, de ter uma perspectiva mais abrangente sobre o fato, evento ou situação que esteja vivenciando.

Tudo começa no seu pensamento, passa pelos sentimentos e, posteriormente, às ações.

Quais pensamentos positivos lhe dão força para continuar quando tudo o que você quer é desistir?

4 Procuro oportunidades de trabalho que desafiem minhas habilidades para solucionar problemas?

Todo desafio é uma oportunidade para desenvolver alguma competência.

No seu trabalho você procura tarefas que o desafiem? Ou tem o hábito de ir em direção ao que não requer muito esforço?

Eu gosto de fazer minhas tarefas com facilidade e rapidez. Isso não significa que não sejam desafiadoras.

Aprenda algo diferente hoje e observe a maravilhosa sensação de crescimento.

5 Você se perturba com as dificuldades?

Algumas coisas nunca acontecem de verdade e acabamos percebendo que a nossa preocupação foi em vão.

Não se perturbe se alguém lhe fizer passar alguma dificuldade hoje, se não conseguir fazer tudo o que planejou, ou se alguém disser ou fizer algo que você não goste.

Se você estiver prestes a ter uma crise, permaneça estável e tenha em mente que essa situação é somente uma prova.

Estar *pré*-ocupado com o futuro não é garantia de que algo realmente irá acontecer.

Faça sua parte e saiba esperar e descansar.

A caminhada é feita com um passo por vez.

6 O quanto ter feito "apenas" o que você deveria resultou em experiências inferiores ou arrependimentos por não ter feito algo a mais?

Eu tenho mais uma premissa comigo: sempre faço meus trabalhos com excelência! Você jamais perderá em sua estrada de carreira por deixar um rastro excelente.

Sigo os preceitos de Aristóteles, que dizia: *"Nós somos o que repetidamente fazemos. A excelência portanto, não é um feito, e sim um hábito"*.

Convido você, no dia de hoje, a caprichar mais em suas tarefas. Veja o que pode fazer melhor. Não pense na pessoa que irá receber o trabalho (talvez pense que ela não mereça seu esforço), pense no benefício que terá na entrega da excelência.

Não se trata do outro, e sim de você!

Daily Shots | **Abril**

7 O que você pode considerar como sendo um esforço razoável a ser feito hoje?

Estamos em constante desenvolvimento.

Quem disse que crescer e se desenvolver é fácil? Não é! Requer um esforço danado e ninguém fará isso por você.

Hoje é dia de mirar em uma meta sua e dar um pequeno passo, uma simples atitude, um esforço razoável que o deixará mais próximo do que deseja.

8 Como aliviar as consequências das más ações tomadas até agora em sua vida profissional?

Maturidade profissional não está relacionada ao tempo de trabalho, muito menos à experiência na empresa.

É muito raro um profissional tomar decisões acertadas desde o início da estrada de carreira. Todos nós erramos e isso faz parte da vida de qualquer pessoa.

No entanto, o maior erro é entrar numa rotina desgastante, vivendo no piloto automático, e sem perceber qual direção a carreira está tomando.

O despertar se faz crucial para fazer ajustes necessários em sua vida profissional.

9 Que pequena ação você pode fazer hoje para ter uma conexão maior com seu trabalho?

Existe uma grande diferença entre a sua tarefa, as suas metas e o negócio de sua empresa.

A conexão com o trabalho está atrelada ao negócio da empresa.

O que sua empresa proporciona a outras pessoas, à sociedade, ao país, ou ao mundo?

Como você pode se sentir mais conectado com o negócio de sua empresa?

Convido você a fazer algo simples hoje para experimentar essa conexão.

10 Estou disposto a correr riscos para colocar em prática aquilo que me trará satisfação no trabalho?

O risco faz parte do jogo corporativo! Quanto maior o risco, maior o ganho, ou a perda.

Gosto da expressão *skin in the game*, muito usada por investidores da bolsa de valores. Já foi até título de livro e hoje, disseminada no mundo corporativo, significa *"ter a pele em jogo"*, e pode parecer esquisito, mas muda o jogo por completo!

O *skin in the game* muda a perspectiva das coisas e faz a diferença. Pode ser o diferencial entre perder e ganhar.

Quanto a *"sua pele"* está envolvida no seu trabalho hoje?

11 O que desperta sua garra?

Se você sente que é difícil levantar-se pela manhã, não diga: "Estou muito cansado".

Remova toda palavra de fraqueza, cansaço, vacilação, derrota e esgotamento de seu vocabulário. Em vez disso, diga: "Tenho minha própria força, posso fazer o que for preciso neste dia".

É importante se conhecer e saber qual é o gatilho interno que desperta sua garra para enfrentar os desafios profissionais.

12 Se você pudesse adquirir um talento hoje (sem qualquer esforço adicional), qual seria?

Eu adoro filmes e desenhos de super-heróis com seus poderes especiais.

Minha favorita é a Mulher Maravilha, que possui habilidades além das que um humano poderia ter. Entre elas estão: super força, super durabilidade, super velocidade, voo, super reflexos e super resistência. Ela conta com uma inteligência acima do normal, estando entre os personagens mais sábios da *Liga da Justiça*, junto com o Batman. Ela também fala diversos idiomas, como grego antigo, inglês, português, francês, mandarim... Você acha que acabou? Nada disso! Por causa de sua ligação com Atena, a amazona é uma estrategista incrível, mestre em táticas de combate, liderança, persuasão e diplomacia.

Dentre todos esses talentos, eu certamente escolheria ter o laço da verdade, com o qual, sem esforço, eu pudesse extrair somente a pura verdade das pessoas.

E você, qual talento escolheria?

13 Se pudesse acabar com as desilusões do trabalho, quais seriam?

A desilusão está atrelada à falta de esperança, descrença, frustração e decepção. Acontece após uma expectativa que não foi atendida.

No trabalho é muito comum, afinal, temos expectativas normais que nem sempre são atendidas. Porém, isso não é motivo para desistir.

Tome um tempo. Não se desespere. Haverá momentos de baixas e decepções no trabalho, mas lembre-se sempre de "dar tempo ao tempo" e, então, você saberá com mais clareza qual decisão tomar.

14 Que características, habilidades e/ou qualidades você gostaria de preservar por toda a sua vida?

Temos vários pontos fortes e fracos. No decorrer de nossa vida profissional e com os resultados alcançados, vamos descobrindo e desenvolvendo novas habilidades.

Que qualidade você possui hoje e que gostaria de preservar por toda sua vida?

Ao identificá-la, poderá checar se em seu trabalho atual você consegue exercê-la. Caso não esteja exercendo essa tal habilidade, terá que rever se realmente esta é a empresa ideal para você.

15 Como você descreveria seus compromissos desta semana?

Como está sua agenda neste momento?

Verifique todos os compromissos e responsabilidades da próxima semana que estão agendados. Agora, se tivesse que resumir em uma palavra como será sua vida nos próximos dias, qual palavra você usaria?

O que pode fazer para deixar ainda melhor a sua semana?

16 Com quais projetos você está envolvido?

Um projeto é um esforço temporário com data prevista.

Quais projetos e responsabilidades fazem parte do seu dia a dia atualmente?

Como você pode melhorar o gerenciamento de energia das tarefas desses projetos, não necessariamente dedicando tempo adicional a eles, mas envolvendo-se de maneira mais pessoal e profunda?

Projetos são excelentes oportunidades para deixarmos nossa marca pessoal nos resultados positivos.

17 O que lhe custa financeira, emocional e fisicamente adiar suas ações?

Neste exato momento você está tomando uma decisão, seja de forma racional ou não.

Tomar decisão é um processo de escolher dentre um conjunto de alternativas, cabendo ao decisor reconhecer, analisar e selecionar a melhor delas, depois implementar e avaliar os resultados.

Quais são as decisões que você tem evitado?

Quanto adiar tem custado em sua vida?

Cuidado com o preço alto da "conta" que virá por postergar decisões. Sua saúde física, mental e suas boas emoções não têm preço.

18 Cite aqui 3 amigos que lhe fazem bem e com quem você pode contar.

Amizade é o bem mais precioso que podemos colecionar em nossa existência. É um amor genuíno, sem cobranças, um querer bem. E o mais legal de tudo: é atemporal!

Quem são seus verdadeiros amigos?

Aqueles que você pode contar nos momentos bons e ruins?

Mande uma mensagem para eles hoje, agradecendo pela amizade sincera que vocês construíram. Esse pequeno gesto deixará o dia de todos mais alegre.

19 Quais medos e dificuldades estou enfrentando que me impedem de avançar?

É natural sentir medo! É a nossa defesa primária.

Sentimos medo quando percebemos alguma ameaça que pode nos causar algum malefício. Por isso ele é, na verdade, um grande aliado, que permite a sobrevivência. Porém, esse medo não pode comprometer suas ações em direção às suas metas.

Diga em voz alta: **nada do que acontecer hoje vai me tirar do meu centro e me afastar do caminho da minha meta!**

20 O que você faz quando uma situação fica muito estressante?

Como você reage nos momentos de crise?

Qual é o seu comportamento quando as coisas não estão legais?

O mais importante é como você recupera a calma e volta a si.

Pense em algo tangível que você pode fazer hoje no trabalho para recuperar sua calma.

O que seria?

21 Qual a melhor maneira de aprender com seus colegas de trabalho?

Todo ser humano tem algo a ensinar e a aprender.

No trabalho, então, temos um celeiro de competências diferentes e não deveríamos desperdiçar essas oportunidades.

Identifique qual é a melhor maneira de aprender com seus colegas de trabalho e como você pode ensinar suas habilidades a eles também.

Pense numa forma prática e aplicável e proponha isso a um colega. Não perca a inteligente oportunidade de aprender, sem precisar dispor de outros recursos.

22 Se você pudesse acrescentar uma hora ao seu dia, o que faria com ela?

Não vale dizer que iria dormir! Talvez, então, diga que faria uma atividade prazerosa.

Pouco importa. O tempo é relativo e seus eventos devem ser administrados estabelecendo prioridades.

"Pergunte a si mesmo se não está gastando tempo com coisas erradas e, por isso mesmo, deve desenvolver um sistema para administrá-lo." (Randolph Pausch).

Sinta-se culpado por desperdiçar seu precioso tempo em vão.

Não faça mais isso, ou limite-o a um mínimo.

Procure ajuda para desenvolver essa competência do gerenciamento do tempo.

23 Qual foi o último livro que leu? (Não vale dizer é este que está lendo agora) O que aprendeu?

Eu valorizo demais os livros e tenho o hábito de ler (sou escritora e amo a leitura).

Se pudesse destacar em tópicos o que aprendeu nessa última leitura, quais seriam?

Mesmo livros de biografias, ficção, romance, aventura etc, têm algo a ensinar. Até os livros tidos como "ruins" nos ensinam algo.

Compartilhe sua experiência literária com seus amigos e colegas de trabalho, assim poderá ouvir e trocar experiências aprendidas.

24 Quais experiências negativas do passado estão influenciando seu desempenho profissional?

Algumas vezes você passou por situações que não foram legais no passado, algum erro grave que cometeu, desconfiança, desonestidade de alguém ou até uma "puxada de tapete" que o derrubou e que o deixa mais resistente em relação ao futuro.

Experiências passadas, sejam elas positivas ou negativas, não são garantias de boas experiências futuras.

Tome cuidado para não projetar no trabalho, ou nos colegas, algo negativo que aconteceu com você no passado.

Utilize tudo para aprender, crescer e avançar na vida.

25 Que pensamentos estão me sabotando hoje no trabalho?

Pensar é bom e importante para tomar decisões corretas.

Quais são os pensamentos recorrentes que tem sobre si próprio no trabalho?

É difícil identificar quais são os sabotadores em nossa mente e como funcionam: são padrões mentais que registramos ao longo de nossa vida e que influenciam nosso comportamento de forma negativa.

Esses padrões mentais são pensamentos perigosos que nos fazem agir no piloto automático e nos impedem de fazermos escolhas coerentes com relação ao que, de fato, desejamos.

Acreditamos nesses pensamentos como sendo a nossa "verdade" e passamos a nos comportar através deles.

Seus pensamentos fazem você avançar na sua carreira ou o limitam?

26 Como você pode ser proativo hoje em seu ambiente de trabalho?

Ser proativo significa pensar e agir com antecedência.

Não só é um ótimo método para evitar ter muito trabalho adiante, mas também pode ser extremamente importante para evitar problemas.

Para ser proativo, comece a agir, assumir suas responsabilidades e controlar suas respostas.

Fazer coisas como antecipar seu futuro e se concentrar nas soluções, e não nos problemas, ajudarão você a ter uma postura mais feliz e proativa.

27 Sobre o que você mente? Todo mundo já contou uma mentira na vida! Sejam elas mais graves ou até aquelas tidas como inofensivas.

Já disse Renato Russo que *"mentir para si mesmo é sempre a pior mentira"*.

E você, mente sobre o quê?

Existe alguma mentira que conta de si mesmo para não fazer ou experimentar o que poderia, seja na vida pessoal ou profissional?

Pense a respeito.

28 Na sua opinião, o que uma pessoa feliz faz?

Observe a sutileza da pergunta: não perguntei o que é *ser feliz*, e sim quais são as *ações* de uma pessoa feliz?

Quando falamos de felicidade, a tendência é generalizar, e ao fazermos isso fica difícil encontrar e experimentar a felicidade.

Todos querem ser felizes, mas essa tal felicidade é diferente para cada um de nós.

Como é para você?

Destaque as ações de uma pessoa feliz e tente agir da mesma maneira.

29 O que você está escondendo de si mesmo que não o deixa ver o núcleo do problema?

Quando estamos envolvidos em um problema é muito difícil encontrar uma solução. Às vezes, não vemos o óbvio e em outras sabemos o que está errado, mas, ainda assim não queremos enxergar ou aceitar.

Você não encontrará uma solução para um problema com a mesma cabeça e lógica de quem o criou. Peça ajuda a alguém, conte abertamente sua situação e esteja aberto a ouvir para entender o cerne do problema.

Então, você saberá o que fazer.

30 O que você pode fazer para que seu sucesso dependa apenas de você e seja mantido por você?

Não somos independentes, somos interdependentes. Precisamos uns dos outros para atingir uma meta, ou objetivo.

Trago uma premissa comigo de que ninguém faz sucesso sozinho! Porém, é muito arriscado colocar todo seu sucesso nas mãos dos outros.

O que você pode fazer para tomar as rédeas novamente de sua caminhada profissional, e fazer com que seu sucesso não esteja diretamente ligado a outra pessoa?

Daily Shots | Abril

Anote aqui 5 insights que teve neste mês de Abril:

1. _____
_____
_____
_____

2. _____
_____
_____
_____

3. _____
_____
_____
_____

4. _____
_____
_____
_____

5. _____
_____
_____
_____

Daily Shots

MAIO

INSPIRAÇÕES
PARA COMEÇAR
BEM O SEU DIA
NO TRABALHO

1. Qual o primeiro passo para ser feliz no trabalho?

Se você pudesse voltar no início de sua carreira, teria feito algo diferente?

Eu provavelmente não. Afinal, as experiências do passado me trouxeram onde estou hoje.

E quando falamos de felicidade no trabalho?

Que conselho daria a alguém que está iniciando sua vida profissional sobre ser feliz no trabalho?

Qual seria o primeiro passo para experimentar essa tal felicidade?

Pegue este conselho e aplique em você hoje mesmo!

2. O que está limitando você, hoje, profissionalmente?

Quais são as barreiras e empecilhos que você tem hoje e que estão impedindo o seu desenvolvimento no trabalho?

Pode ser um chefe complicado e sabotador, ou a tarefa pela qual é responsável não o desafia mais, as pessoas ao seu redor não despertam mais seu interesse, ou a empresa já não combina mais com sua realidade atual.

O que você fará para romper essa barreira?

3. O que você fez na semana passada que durará para o resto do ano? Pelos próximos 10 anos? Para a eternidade?

Vamos refletir sobre as suas atitudes na última semana. Não faz tanto tempo assim!

Suas ações terão impacto positivo no futuro?

Sabemos que nem todo mundo exerce um cargo de liderança, com muitas responsabilidades. Mas, se você está atuando em uma empresa, alguma atividade você desempenha para que ela atinja as metas gerais.

Devemos conduzir nossas tarefas diárias, sejam na empresa ou até mesmo em casa, de modo a alinhar com o propósito futuro que considera ser o melhor para você.

4. De que maneira você poderia aproveitar o tempo gasto nas tarefas menores e dedicá-lo a uma prioridade mais elevada? Seja específico.

No dia de hoje convido você a pensar mais estrategicamente sobre como definir prioridades.

Primeiramente, é importante entender o conceito de importante e urgente. Ambos remetem rapidez na ação necessária, porém em proporções diferentes. Importante é algo crítico, que precisa de atenção, mas não é algo radical. Já o urgente é uma situação de extrema importância.

Liste suas prioridades no curto, médio e longo prazos, tendo em mente o conceito de prioridade importante X urgente. Pesquise mais sobre o assunto nas redes para aprender a definir prioridades, ainda mais quando tudo o que lhe é apresentado é urgente!

5. Quanto você tem capacitado os outros ao seu redor?

Eu trabalho com desenvolvimento de pessoas e é natural ter esse olhar para quem trabalha comigo.

E você, quanto tem compartilhado seus conhecimentos e buscado capacitar quem está ao seu lado?

Pergunte aos colegas de trabalho que estão próximos a você no que eles têm interesse e necessidade de aprender. Verifique se pode ajudá-los a se desenvolverem ou a encontrarem o caminho para que acessem esse conhecimento.

Já pensou se todos na empresa se preocupassem em capacitar e desenvolver os outros?

Teríamos a constante excelência e jamais as empresas sofreriam com a mediocridade.

6. O que faz você se sentir frustrado?

Desejos, expectativas e exigências que temos conosco ou com os outros sempre geram frustração.

Defina o que acontece que o deixa frustrado e veja o que pode fazer para diminuir a exigência imposta sobre aquele fato ou pessoa. Só assim poderá trabalhar melhor com seus sentimentos e parar de se frustrar.

7. Quais tarefas do seu dia a dia são urgentes, mas possuem pouca influência (importância) na realização do seu objetivo principal de vida?

Tudo é para ontem! Algumas empresas padecem da síndrome do atraso coletivo e da urgência como padrão diário. Isso é desgastante!

Quais tarefas você desempenha hoje que são tidas como urgentes, mas no final das contas não terão efeito no objetivo final, tanto da sua empresa, quanto na sua vida pessoal?

Ao listar essas tarefas, verifique o que pode fazer a respeito para delegar ou eliminar de suas atividades diárias.

8. Que conhecimento especial você tem? Qual é seu diferencial no trabalho? O que você faz de especial, que é único, que tem sua marca e seu jeito?

Busque estar sempre em sintonia com o seu tempo, com o mercado e com o que as empresas estão buscando, assim poderá garantir sua empregabilidade.

Jamais podemos parar de aprender e estudar. Comece hoje a buscar conteúdo novo sobre algo relacionado ao negócio de sua empresa.

9 Se você fosse colocar na balança pelo menos três opções para solucionar seu problema, quais seriam?

Existem infinitas possibilidades para solucionar seus problemas atuais – e olha que nem sei qual problema específico é o seu neste momento! Mas, sim, acredite, existem saídas.

Um primeiro passo é tentar sair um pouco do foco principal para ter uma perspectiva maior sobre todo o problema.

O segundo passo é considerar que se este problema fosse de outra pessoa, quais caminhos você indicaria para ajudá-la a solucionar a questão?

Coloque suas opções na balança para ter noção de qual delas terá maior e menor peso para uma decisão. Então você saberá o que fazer.

10 Existe algum obstáculo em seu caminho? Você pode removê-lo?

Seja empreendedor, presidente, gerente, funcionário ou estagiário, todos temos algum tipo de obstáculo no trabalho. Não me refiro a algo negativo ou até mesmo a uma pessoa esquisita que cruza nosso caminho, mas o fato é que estamos em constante crescimento e os obstáculos farão parte da nossa caminhada profissional.

Às vezes, podemos fazer algo para removê-los, outras vezes dependem de outras pessoas, fugindo ao nosso controle.

Como está sua situação hoje?

Existe algo que possa fazer a respeito?

Se a situação não estiver em suas mãos, pense em algo que possa fazer por você, neste momento, para deixá-lo com mais energia para seguir com o seu propósito.

11. Você está vivendo em seu pleno potencial?

Se pudesse me dizer agora, em termos de porcentagem, quanto corresponde ao que executa em relação ao seu potencial?

Não espero nada menos que 100% de sua resposta!

Prefiro profissionais medianos agindo com seu 100% no trabalho, do que gênios que fazem apenas 50%.

Seja o melhor que você puder ser, independentemente das circunstâncias do seu trabalho atual.

12. Você se intimida com coisas, tarefas ou situações difíceis?

Não passe o dia procurando algo fácil para fazer, em vez de lidar com as coisas difíceis que precisam ser feitas.

Faça as tarefas que você gosta menos em primeiro lugar e as tire do caminho. Por exemplo, não olhe para suas tarefas menos atraentes e pense: "Farei isso mais tarde".

As tarefas difíceis o importunarão durante todo o dia e roubarão sua energia para fazer as coisas boas que você quer fazer.

A passividade roubará sua produtividade, mas você tem o poder para vencer o adiamento e a protelação.

Cumpra logo as tarefas de que você não gosta.

Faça o que é mais importante em primeiro lugar, e logo isso não o perturbará ou arruinará sua vida.

13 Se você pudesse ser o melhor em algo, no que seria?

Dentre os inúmeros pontos fortes que possui, qual é seu ponto forte "mais mais"?

Ao eleger essa competência que já tem, que tal no dia de hoje pensar em como pode aperfeiçoá-la?

Busque literatura sobre essa competência. Veja vídeos de especialistas confiáveis, procure treinamentos, algo que possa levá-lo a ser o melhor nesse assunto.

É mais fácil trabalhar os pontos fortes do que os fracos.

14 O que deseja conquistar para seu crescimento interior?

As conquistas externas – sejam financeiras, de status ou bens materiais –, são mais fáceis de visualizar e projetar.

Hoje quero falar sobre suas conquistas internas, aquelas que o definem como um bom ser humano.

Muitos profissionais que fazem seus trabalhos desejam conquistar reconhecimento no mercado, ser referência num assunto, demonstrar confiança, serenidade, conquistar amizades, amor e paz.

E você, o que deseja conquistar?

15 Você tende a planejar ou a improvisar?

Os dois são importantes! Porém, devem acontecer em momentos diferentes.

O bom planejamento é aquele que considera uma certa flexibilidade para ajustar os fatos que irão se suceder de maneira diferente do que foi planejado.

Você pode alcançar o que planejou, talvez de uma outra forma, e é neste momento que o improviso entra!

Não dá para viver uma vida improvisando tudo, pois o desgaste energético, financeiro e emocional é muito grande.

Também não dá para viver uma vida planejando tudo. Muitas vezes se perde a beleza do momento.

Equilíbrio sempre!

16 O que você ganha no trabalho atual, além do dinheiro?

Quando pergunto às pessoas sobre o porquê delas trabalharem, muitas respondem: "Porque tenho contas a pagar". Mas o trabalho não se resume apenas a isso.

Qual o preço que você paga para ganhar o que você ganha?

O que tem aprendido no trabalho atual?

Quais são as boas conexões que tem feito?

Verifique os ganhos do seu trabalho atual – que vão além de dinheiro – e você verá que tem muitas coisas boas acontecendo com você neste momento.

17 Quais oportunidades você tem desperdiçado no trabalho?

As melhores oportunidades na carreira não vêm de maneira aberta. Muitas delas nascem após nossa contribuição no trabalho.

Portanto, semeie generosamente.

Mas, lembre que não semeamos agora e colhemos cinco minutos depois.

Precisamos perseverar pacientemente para colher os frutos do nosso trabalho. Podem se passar 10 ou 15 anos antes que uma colheita venha.

Cuidado para não desperdiçar oportunidades pela falta de paciência em esperar.

18 Quais julgamentos você faz sobre seu chefe e colegas de trabalho?

É muito comum profissionais falarem mal de seus chefes e colegas de trabalho, julgando-os negativamente. Muitos acham que deveriam ser eles a ocupar o lugar mais alto na empresa.

Sempre digo que seu chefe é um cara inteligente, senão não seria seu chefe! Mesmo naquelas empresas em que a competência não é levada em consideração e, sim, os relacionamentos, seu chefe foi inteligente por fazer as amizades certas.

As pessoas são diferentes e lidar com as diferenças é um grande desafio.

Não temos que gostar de todos que trabalham conosco, porém, temos que respeitá-los.

19 Qual seria uma boa oportunidade, atualmente, no seu trabalho?

Um erro comum é sempre achar que subir na hierarquia da empresa é uma boa oportunidade no trabalho.

Nem sempre!

Vejo muitos líderes arrependidos depois de assumirem seus cargos, por não terem considerado o ônus da hierarquia, somente o bônus.

Não existem lugares de diretores e presidentes para todo mundo e nem sempre isso representa uma boa oportunidade.

Veja bem, não tem nada de errado em querer assumir tais cargos, mas esteja ciente do que isso vai representar em sua vida.

E para você, qual seria uma boa oportunidade no trabalho?

Como pode consegui-la?

20 O que você traz para a sociedade sendo você no seu trabalho?

Seguramente, posso dizer que sendo eu no meu trabalho, trago para a sociedade profissionais melhores e mais conscientes de suas carreiras, escolhas profissionais e seu desenvolvimento.

Quando essas pessoas que assessoro descobrem seu real talento e através dele desenvolvem algo que facilita a vida do outro, então vejo a contribuição do meu trabalho.

Todos nós contribuímos de alguma forma. A questão é saber quanto você e sua empresa acrescentam para uma sociedade melhor e mais evoluída.

O que você traz para a sociedade com o seu trabalho?

21 Quem são os fofoqueiros de sua empresa?

Hoje é dia de evitá-los!

Por todas as empresas que passo, pessoas já foram vítimas dos fofoqueiros! Porém, quando digo que quero conhecê-los, nunca se manifestam!

Difícil encontrar quem nunca fez ou foi alvo de algum tipo de fofoca no local de trabalho. Mas, saiba que ela é como uma bomba prestes a detonar seu trabalho e sua reputação.

Não há um antídoto contra a fofoca. É quase impossível ficar livre dos fofoqueiros e de seus comentários, mas dá para aprender a lidar melhor com a situação.

Se hoje algum comentário inconveniente surgir, a melhor alternativa é sair discretamente e não dar espaço para que o assunto se estenda.

Uma outra tática – principalmente na hora do café, quando a conversa é mais informal – é rebater ao colega fofoqueiro: "Vamos falar de nós?" Isso corta o barato de qualquer um.

22 O que motiva você a ir para o trabalho todos os dias?

Não vale responder que são os boletos que tem para pagar! Não pode ser só esse motivo!

Por que você acorda todos os dias e vai para o trabalho entregar suas responsabilidades com excelência?

Os motivos são inúmeros, diferentes de pessoa para pessoa e variam de acordo com sua fase de vida.

Qual é o seu motivo neste momento?

23 Como você pode colaborar para reduzir ou eliminar as atividades consideradas menos importantes no trabalho?

Toda e qualquer tarefa, desde a mais simples até a mais complicada, irá consumir seu tempo. Pode ser muito ou pouco, em função da complexidade do que precisa ser feito.

O que você pode fazer hoje para automatizar, delegar ou até mesmo eliminar algumas tarefas de sua responsabilidade?

Será que realmente tudo é importante? Certifique-se do que é feito com aquela informação proveniente da tarefa que está fazendo e foque em como deixá-la mais rápida e eficaz.

Seu tempo é valioso demais para desperdiçar com tarefas menos importantes para sua empresa.

24 O que você faria para gerar mais aliança no trabalho?

As alianças são importantes para a nossa estrada de carreira. Não necessariamente devem estar restritas somente à sua empresa. É importante ampliá-las na vida profissional.

Como estão suas alianças no trabalho?

Com quem tem trocado informações relevantes sobre a carreira?

O que pode fazer hoje para expandir suas conexões?

Uma aliança não se forma da noite para o dia, você deve trabalhar nela.

25 De 1 a 10, que nota você daria para a sua fé?

Uma pessoa de fé é aquela que crê em algo que ainda não aconteceu. É ter uma esperança em algo e perseverar num propósito, por isso é muito importante.

Ter fé é ser sua própria mão forte que o ajuda a levantar dos tombos da vida.

Como anda sua fé hoje?

Que nota, nesta escala, você poderia atribuir ao seu sentimento de fé em algo, seja no que for?

26 Que atividade você fará hoje que trará um bom resultado para sua vida?

Como já disse anteriormente, o único momento que realmente temos é o agora!

Que tal fazer o dia de hoje especial?

Convido você hoje a fazer algo além do seu trabalho, que trará benefícios para a sua vida.

Talvez fazer algum exercício físico que, com certeza, terá um efeito positivo na sua saúde, ou cozinhar uma comida mais saudável, ligar para seus pais, brincar com seus filhos, fazer uma atividade de um hobby que adora etc.

Você é livre para escolher qualquer coisa, desde que seja hoje!

Não precisa envolver dinheiro e nem ser algo muito complexo.

Pense no simples e fácil de executar.

27 Responda sim, ou não: todo mundo deveria ter um plano B?

Nada é para sempre! Essa máxima se aplica para todos os aspectos de nossas vidas, inclusive a profissional.

Busque identificar suas competências e habilidades, mesmo que sejam em áreas diferentes de sua ocupação atual.

Perceba e potencialize todos os seus talentos, mesmo aqueles menos desenvolvidos.

Se você nunca se deu conta, acredite, você é capaz de fazer coisas que nunca sonhou.

28 O que você acredita que deve desenvolver para ajudá-lo a ter sucesso na carreira?

O sucesso é uma experiência diferente para cada um de nós.

De maneira direta e prática, o que você pode desenvolver, aprender ou conquistar que o ajudará a ter sucesso na vida profissional?

Talvez você possa fazer um curso, criar uma conexão de aliança ou até uma oportunidade que tenha que cavar.

O que você pode fazer hoje que o ajudará a criar essa realidade profissional?

29 E se você descobrisse que existe outro modo de perceber uma situação, você adotaria uma nova postura?

"Eu prefiro ser uma metamorfose ambulante, do que ter aquela velha opinião formada sobre tudo". Estas sábias palavras da música de Raul Seixas nos ensinam que sim, é possível mudar de opinião e isso não representa fraqueza, pelo contrário, fará de você um profissional mais admirado e respeitado.

No dia de hoje busque ver com os olhos de quem discorda de sua opinião. Talvez a pessoa esteja vendo um lado que você ainda não conseguiu enxergar.

30 O que desperta o seu melhor?

Você tem um lado maravilhoso e um lado não tão bom assim.

Algumas pessoas ou situações sempre estão despertando alguma coisa em nós.

O que desperta o seu melhor?

Procure identificar quem, ou o que, é responsável pela sua melhor versão, deixando você mais energizado e incentivado a crescer ainda mais.

O meio no qual estamos inseridos tem grande influência em nós, mas não podemos depender ou colocar a responsabilidade do despertar somente em outras pessoas ou situações. Isso foge ao nosso controle e, talvez assim, estaríamos fadados ao insucesso.

O que você pode fazer para ser essa pessoa que desperta o seu melhor?

31 Você tem direcionado suas ações a fim de obter o que deseja?

O que você tem feito ultimamente no trabalho que o tem deixado mais perto, ou mais longe de seus sonhos?

Se suas atitudes vêm trazendo você para mais perto de suas metas, então já sabe que deve continuar.

Se estão levando para mais longe, pare imediatamente com isso!

Anote aqui 5 insights que teve neste mês de Maio:

1 _____
_____
_____
_____

2 _____
_____
_____
_____

3 _____
_____
_____
_____

4 _____
_____
_____
_____

5 _____
_____
_____
_____

1. Como você se vê daqui a cinco anos? Onde você vai estar?

Muitos profissionais me perguntam as razões do prazo de cinco anos. A resposta é simples: se hoje você decidir recomeçar numa nova carreira, esse é o período em que você começará a colher os primeiros frutos de seu trabalho.

Trata-se de algo a curto prazo, possível de visualizar e projetar.
Daqui a cinco anos, qual será a sua idade?
Como imagina seus relacionamentos? Filhos?
Onde se vê trabalhando? Fazendo o quê? Ganhando quanto?
Terá sucesso?

Pensar no futuro não garante que ele aconteça, mas você pode criar estratégias de ações no presente, para alcançar o que visualizou.

Não pensar no futuro também não é garantia que algo ruim acontecerá, porém, é certeza que viverá sob a estratégia da visão de um outro alguém.

2. Por que você impressiona as pessoas?

Aquele velho ditado "a primeira impressão é a que fica" parece clichê, mas é verdadeiro!

Sabemos que não se deve julgar uma pessoa pela sua vestimenta ou aparência, porém, nem todo mundo é tão inteligente quanto você para não fazer julgamentos precipitados.

O fato é que no mundo dos negócios as pessoas se preparam para que a primeira impressão seja sempre a melhor possível, para gerar empatia e facilitar seu acesso à empresa e às pessoas.

Qual é a impressão que as pessoas têm a seu respeito?
Por que você as impressiona?

3 O que você gostaria de estudar?

Eu amo estudar e sempre estou em busca de conhecimento. Vejo que a chave para o desenvolvimento de qualquer sociedade está na educação.

O que você tem vontade de aprender?

Que assunto desperta seu interesse?

Que tal, no dia de hoje, você buscar literatura, ler artigos relacionados, ou até mesmo assistir a um vídeo na internet sobre o que gostaria de conhecer melhor?

Estudar não depende somente de investimento financeiro.

Tudo começa com a sua vontade de aprender e crescer na vida.

Comece hoje mesmo!

4 Qual é seu lema?

O slogan é uma frase curta que define o posicionamento de uma marca e seu diferencial.

Toda empresa quer que seus clientes enxerguem o diferencial de suas marcas e, um dos elementos mais importantes para gerar essa identificação é o slogan.

Agora que você entendeu melhor o que é um slogan, vamos direcionar para sua vida e falar sobre seu lema.

Seu lema é capaz de lhe identificar, condensar e transmitir o conceito do que você pensa sobre sua vida, além de torná-lo reconhecível em qualquer lugar.

Qual é o seu lema de vida?

5 De modo geral, você se sente confortável quando está sozinho?

Confesso que eu aprendi a ficar em paz comigo mesma.

Muitas pessoas têm a errônea sensação de que aquele ser que está sozinho não está bem, está sofrendo. Mas, no meu caso, a realidade é outra: é de paz. Isso acontece porque o estado de solitude diverge do estado de solidão.

Solitude é o pleno contato consigo mesmo. Isso quer dizer que não há a necessidade de estar sempre em companhia de outras pessoas e não há solidão por isso. Essa pessoa está bem com ela mesma em tempo integral, mas convive muito bem com os outros.

Solidão é sentir um vazio, uma ausência, dói, às vezes você pode estar cercado de outras pessoas e, ainda assim, sentir solidão.

Você não precisa de outra pessoa para ser feliz – você é plenamente capaz de aproveitar a vida sozinho. Curta sua própria companhia, cuide da sua saúde mental, desse brilho interno que só você tem.

Tente fazer algo por si mesmo e não pelos outros.

Aproveite-se!

6 De 1 a 10, qual é o seu nível de comprometimento com suas responsabilidades atuais no trabalho?

A mudança é uma constante no trabalho. A tarefa é a responsabilidade pela qual foi contratado. Provavelmente não é a mesma pela qual você responde hoje na empresa.

Nem sempre desafios maiores nos estimulam e nosso nível de comprometimento acaba diminuindo.

O que você pode fazer para aumentar seu engajamento ou permanecer no topo?

7. Estou inventando coisas para fazer com o intuito de evitar o importante?

Ao olhar para trás e ver o que já aconteceu na sua vida, você vai perceber que muitas das coisas difíceis e ruins que aconteceram o levaram, na verdade, para algo melhor, fazendo com que você crescesse.

Você não pode controlar tudo. Às vezes, só precisa relaxar e ter fé que as coisas vão dar certo. Deixar a vida acontecer. Há verdades que não se pode mudar e que acabam mudando você.

São as escolhas mais estressantes e assustadoras que acabam sendo as mais valiosas e que mais nos fazem crescer.

Sem dor não haveria a necessidade da mudança.

Mas, lembre-se: a dor, assim como tudo na vida, é algo que, após seu ensinamento, deve ser liberada, deixada pra trás.

Enfrente logo o que está incomodando você.

8. No momento, você está em busca de quê?

Um dos grandes desafios que a maioria dos profissionais enfrenta em sua rotina diária é manter a motivação no trabalho em alta.

Podemos ampliar essa questão para outras áreas de sua vida também. Talvez você esteja em busca de saúde, paz, amor, boas amizades, diversão etc. Mesmo para essas outras áreas de sua vida, procure detalhar sua busca.

Seja específico em sua resposta.

Só assim poderá focar e seguir na direção do que deseja.

9 O que faz você desperdiçar seu tempo?

Tudo é para ontem!

As pessoas nas empresas pedem tudo com extrema urgência. Parece que não sabem mais a diferença entre o que é mais importante, e aquilo que é urgente.

Pergunto para muitos profissionais pelos corredores das empresas: "Olá, como você está?", e a pessoa me responde: "Estou na correria!", e me pego pensando: Está correndo para onde?

Essa correria toda nos causa estresse e precisamos ter subterfúgios para sobreviver a essa dura realidade. Aí é que entram as atividades que chamo de fuga, porque roubam sua energia e fazem você desperdiçar seu tempo.

Sabe quando "tem que" ver mensagens divertidas dos amigos, tomar um café, navegar na internet, ler uma fofoca antes de começar a enfrentar aquela tarefa difícil?

Pense sobre como você pode evitar as tarefas de fuga hoje.

10 Qual é a sua receita para a criatividade?

Ser criativo pode ser uma característica inerente à pessoa, o que não significa que também não se possa desenvolver essa habilidade.

Na verdade, é perfeitamente possível trabalhar a sua criatividade e conseguir lidar melhor nas situações mais diversas do seu cotidiano.

O que você faz quando quer ser criativo?

Qual é a sua mágica para conseguir isso?

Quais são as pequenas atitudes integradas no dia a dia que o auxiliam a desenvolver esse seu lado criativo?

11 Quem você pode fazer mais feliz hoje? Como?

A felicidade mora nos detalhes. Não há receita para a felicidade, mas existem alguns ingredientes.

Quem são as pessoas mais importantes para você neste momento? Pense no que poderia fazer hoje que as deixariam mais felizes!

Refiro-me a ações simples, como uma ligação telefônica, um agradecimento especial, uma mensagem de texto pessoal, um sorriso etc.

A excelência mora nos detalhes.

Veja bem, ninguém é responsável pela felicidade alheia, isso cabe a cada pessoa. Então, cuidado para não exagerar nas expectativas de como o outro deveria agir, pois se não correspondidas, certamente vão causar frustração.

De qualquer forma, não deixe que isso o impeça de agir hoje e deixe o dia de alguém especial mais feliz.

12 O que você precisa fazer?

Se você quer avançar, é necessário que o faça pouco a pouco, mas com constância e segurança.

Se, para você é muito trabalhoso alcançar as suas metas, avance gradualmente. O mais importante é querer fazê-lo.

A princípio pode ser difícil devido aos seus maus hábitos, mas, uma vez dado o primeiro passo, você só terá que seguir assim, com um passo lento, mas firme, com muita segurança.

Empreender, mesmo que a ação possa parecer insignificante, vale a pena se você tem como objetivo encontrar o seu propósito.

O caminho de mil léguas começa com o primeiro passo.

13 Quem ou o que está no controle de sua vida?

Todos sabemos que a vida não é cor de rosa. Só que algumas pessoas não se dão conta disso até a amarga realidade se apresentar, de forma crua e inesperada, em suas vidas.

Então, como enfrentar as situações difíceis nas quais você sente que o mundo está prestes a cair na sua cabeça?

Não fique preso aos aspectos negativos da sua vida diária.

Está em suas mãos determinar se o que você tem no momento é o mais valoroso.

A oportunidade que você diz estar esperando pode estar bem na sua frente. Não a deixe passar só porque você espera o momento exato que, segundo a sua perspectiva, pode nunca chegar.

Deixe de ser espectador para se transformar no protagonista de cada um dos seus dias.

14 O que você prometeu fazer amanhã? E o que prometeu ontem, está feito?

Já parou para pensar sobre o quanto vale sua palavra?

Uma grande porcentagem de promessas quebradas se origina em situações onde você se sente pressionado a dizer *sim*.

O primeiro passo para ser honesto é aprender a dizer *não*.

Como assim?

Pode ser que você sinta vergonha em dizer "não entendo", "não sei muito sobre esse assunto", "acho que não consigo terminar o trabalho no prazo", ou "não será possível cumprir esse horário".

Seja humilde! Ninguém sabe tudo. É preferível dizer que não conseguirá fazer algo, do que prometer e não cumprir. Uma promessa quebrada arranhará sua reputação na empresa.

15 Crença é algo que você se apega. Convicção é algo que se apega a você. Quais são suas convicções?

Convicção é uma opinião firme a respeito de algo, com base em provas ou razões íntimas, ou como resultado da influência ou persuasão de outros.

Em que você é convicto? Suas convicções direcionam suas escolhas diárias – com quem, e onde você gasta seu tempo e dinheiro.

Lembre-se de estar aberto para ouvir os outros. Mudar de opinião não tem nada de errado e faz parte do nosso crescimento.

16 O que o seu trabalho atual está fazendo com você como pessoa, com a sua mente, seu caráter e seus relacionamentos?

Um dos principais motivos pelos quais você está no seu emprego atual é porque o salário é bom?

E uma das principais razões pelas quais você reluta em pedir demissão é porque você não pode se imaginar tendo uma redução salarial significativa, ou entrando em uma profissão nova com perspectivas financeiras limitadas?

A tarefa de encontrar uma carreira gratificante é um dos maiores desafios da vida. Muitas pessoas estão presas a empregos desinteressantes dos quais não conseguem se livrar, estagnados pela falta de oportunidade, falta de autoconfiança e o pior ainda: a falta de disposição para encarar a mudança!

Muitos profissionais querem a mudança, mas não querem mudar nada em suas vidas. Não estão dispostos a encarar as consequências que envolvem vivenciar essa tal carreira de sucesso e abundância.

17. Que pequeno ajuste você fará em seu estilo de vida que o ajudará na carreira?

Daniel amava sair à noite durante a semana e, às vezes, ia direto trabalhar sem dormir. Como não estava com sua atenção 100% na reunião, perdia oportunidades no trabalho. Ajustou suas saídas na balada somente aos finais de semana.

Ana queria comprar um carro novo e estava sem dinheiro reserva. Diminuiu seus jantares em restaurantes caros para economizar dinheiro.

Claudia mudou sua alimentação e ficou mais produtiva no trabalho.

Alex trocou as camisetas, que tanto adorava e eram confortáveis, pelos ternos e gravatas para visitar clientes, pois sua empresa era muito formal e valorizava essa vestimenta.

E você, que pequeno ajuste poderá ajudar na sua carreira?

18. Qual foi o filme mais inspirador que assistiu? Por quê?

Eu amo assistir filmes e analisar seus ensinamentos. Recorrer a um filme é sempre uma ótima maneira de poder repensar alguns valores, reavaliar velhos conceitos, encher-se de inspiração e esperança para recomeçar.

Os filmes, além de apresentarem histórias reais de superação, também podem tocar no coração, despertando antigas paixões e novos desafios.

Qual foi o filme mais inspirador que assistiu?

Analise porque ele teve um significado tão especial para você.

19 Você anda muito ocupado no trabalho?

Diante das pressões profissionais e da realidade sempre conectada em que vivemos, algumas pessoas reagem passando cada momento da vida trabalhando, ou pensando em trabalho.

Não temos muito tempo para amigos, exercícios, alimentos saudáveis, ou sono de qualidade. Não brincamos com nossos filhos, nem mesmo os escutamos. Não ficamos em casa quando estamos doentes. Não reservamos tempo para conhecer pessoas no trabalho ou nos colocar no lugar delas antes de tirar conclusões.

Tem algo de errado com essa dedicação excessiva!

Isso tem que parar! O passo principal é libertar-se! Isso implica em desistir da crença equivocada de que estar ocupado é sinal de produtividade e sucesso.

Stephen Covey, reconhecido autor na área de liderança, já dizia que *"estar ocupado não significa estar sendo eficiente"*.

Foque mais nos resultados alcançados e não na quantidade de horas trabalhadas.

20 Como está o "fluir" em suas ações?

Quantas vezes queremos controlar tudo! Controlar os acontecimentos, as situações, os outros, o nosso estado de espírito, pensamentos e emoções.

É essa necessidade de controle do homem moderno que gera a infelicidade, a ansiedade, a inquietude e a perda de oportunidades felizes.

Você se preocupa demais, ou traça uma meta e a deixa fluir?

Precisamos aprender a deixar acontecer, a não controlar, a darmos espaço para as coisas se desenvolverem a nosso favor.

Deixar fluir é confiar na vida e em si. É confiar na abundância do Universo e no fato de que você é merecedor de suas dádivas.

21 Qual foi o maior obstáculo que enfrentou em sua última promoção ou conquista no trabalho?

Quando você teve seu êxito profissional?

Pare e reflita sobre como tudo aconteceu, quanto tempo perseverou por essa conquista e quais foram os obstáculos que ultrapassou.

Com certeza foram vários.

Eleja o maior deles e identifique qual competência usou para enfrentá-lo. Assim, quando estiver perante as próximas barreiras já estará munido das ferramentas para ultrapassá-las.

22 No final das contas, os relacionamentos são o que realmente importa. Como vão seus relacionamentos profissionais?

Ninguém alcança o sucesso sozinho!

Relacionamentos são imprescindíveis para tudo, nas relações amorosas, ter harmonia na própria família, nas amizades e, óbvio, no trabalho.

Com quem você tem se relacionado no trabalho?

Não confunda amizade com relações profissionais. Com um amigo posso compartilhar tudo, livre de julgamentos, sabendo que tudo ficará bem. Mas, quando se trata dos colegas de empresa, isso não acontece na mesma proporção.

Ofereça ajuda a alguém no seu trabalho hoje. Algo simples que possa fazer por aquela pessoa. Faça algo positivo de maneira genuína e logo alguém fará o mesmo por você.

É dessa troca de dar e receber que se tratam os bons relacionamentos profissionais.

23 Como anda sua sorte?

A boa ou a má sorte não se referem a um fenômeno previsível, mas justamente a algo que não é possível explicar, ou prever.

Gosto de focar na ação do trabalho, porém, não podemos negar que existe, sim, um "aleatório" que ronda algumas pessoas.

Como está a sua sorte?

Tirar a sorte grande é o desejo de todos. Porém, atrair a boa sorte não é coisa fácil, todos a querem, mas poucos a têm.

Que hoje a força esteja com você!

24 Você vive para ganhar ou vive para não perder no trabalho?

Nem um, nem outro. No ambiente de negócios, o ideal seria a relação *ganha-ganha*. Mas, o que significa essa expressão?

Significa que ninguém perde, todos ganham.

Para entender melhor, vamos comparar essa relação com dois jogos: o tênis e o frescobol. O primeiro é uma relação ganha-perde. Quando a bolinha cai no chão e fora do local, faz-se o ponto. Não sei se funciona assim... Alguém tem de ganhar, um jogador será o ganhador e o outro necessariamente será o perdedor.

Já o frescobol não tem essa característica. É que, para se ganhar o jogo, não podemos deixar a bolinha cair no chão – os dois jogadores ganham. A ideia e a ação do frescobol são totalmente opostas ao tênis: *"Somos bons se tivermos nivelados e juntos, ajudando-nos mutuamente, em um verdadeiro trabalho em equipe".*

Para conseguirmos ter uma relação ganha-ganha, precisamos ter uma atitude estilo frescobol e um comportamento cooperativo com nossa empresa.

25 O quanto ser realista ou responsável tem afastado você da vida que deseja?

Admiro atitudes responsáveis. Acho louvável quem enxerga a realidade como ela é, não como gostaríamos que ela fosse! Muitas vezes, a vida real é dura demais e, mesmo assim, não podemos perder nossa capacidade de sonhar.

Não se afaste de seus sonhos pela dificuldade em alcançá-los.

Para realizar grandes conquistas devemos agir e também sonhar; não apenas planejar, mas também acreditar.

26 Quais oportunidades você pode conquistar devido aos seus pontos fortes?

É tão fácil reconhecer aspectos, tanto positivos quanto negativos, nos outros, mas é complicado descrever nossas próprias características, sejam elas boas ou ruins.

Isso nos faz refletir quanto à importância de nos conhecermos verdadeiramente. Gostaria de provocar em você esta reflexão, tanto no aspecto profissional, quanto no pessoal.

Seria como colocar um grande espelho na sua frente, para que possa se enxergar e, a partir desse confronto, desenvolver estratégias para administrar suas dificuldades, bem como usar pontos fortes a seu favor e atuar no controle dos pontos fracos.

Busque este autoconhecimento e seja espetacular em sua carreira.

27 Se você pudesse voltar no tempo e mudar alguma coisa, o que seria?

Adoro a ideia de viajar no tempo! Sempre penso para onde iria e, se fosse possível, já teria até uma lista de lugares legais para visitar.

Quem me conhece sabe os tombos pesados que tomei nesta vida e tenho certeza de que você também já caiu e se levantou inúmeras vezes.

Porém, eu não mudaria nada do meu passado. Todo aprendizado me trouxe onde estou hoje, por isso sou grata a tudo que me aconteceu.

E você, mudaria algo no passado? Existe alguma coisa que possa fazer hoje para lidar com essa situação?

28 Você consegue definir um sentimento que tem hoje sobre sua função no trabalho?

Não podemos acreditar na ilusão de fazer somente o que se gosta. Isso é impossível! Todos temos as tarefas tidas como rotineiras, repetitivas e chatas que precisam ser feitas.

Mas, mesmo desempenhando tarefas que não gostamos, podemos ter sentimentos bons sobre nosso trabalho.

Qual é o sentimento que você tem sobre suas funções no trabalho atual?

Sua resposta indicará se este sentimento é bom, neutro ou ruim.

Qualquer coisa diferente de bom, saiba que terá que fazer algo a respeito num curto espaço de tempo.

29 Quais talentos naturais as pessoas reconhecem em você?

Uma das atividades que proponho aos meus alunos é que perguntem seus pontos fortes para o maior número de pessoas, dos diferentes núcleos pelos quais tramitam. O mais interessante é que a maioria dos alunos fica surpresa com o que os outros enxergam de positivo a respeito deles mesmos.

Seu talento natural é aquilo que faz sem esforço, que flui facilmente e que você tem habilidade na execução. Todos temos vários talentos.

Quais são os seus?

Se não souber, faça você essa atividade: pergunte para, pelo menos três pessoas diferentes, "qual talento você vê em mim?", para que assim comece a enxergar pontos positivos em você mesmo.

30 Quais são seus planos para os próximos seis meses?

Estamos no meio do ano e temos ainda a outra metade para realizar todas as metas traçadas no início deste ano.

Quais são seus próximos passos para desenvolver os projetos, seja no trabalho, ou na vida pessoal? O que irá estudar, o que irá fazer a respeito da sua saúde, finanças, viagem de férias?

Faça hoje uma visualização de suas metas e foque no presente para fazer acontecer o que definiu.

Daily Shots | Junho

Anote aqui 5 insights que teve neste mês de Junho:

1 _____
_____
_____
_____

2 _____
_____
_____
_____

3 _____
_____
_____
_____

4 _____
_____
_____
_____

5 _____
_____
_____
_____

Daily Shots

JULHO

INSPIRAÇÕES
PARA COMEÇAR
BEM O SEU DIA
NO TRABALHO

1. O que fazer nos próximos 30 dias para ser totalmente feliz?

Tenha um objetivo claro para os próximos 30 dias.
O que pode fazer para que seu mês seja espetacular?
Pense no futuro e tenha perspectiva. Quando não se sabe qual é o destino da viagem, não há razão para seguir a caminhada, não é mesmo?
Para definir seu objetivo neste mês, comece pensando no que tem que acontecer até o final deste período para que você possa dizer que foi feliz.
Saiba o que essa tal felicidade representa para você e então trace as ações que irão tornar este mês único e sensacional.

2. Você tem equilibrado as exigências da sua vida pessoal e profissional?

Você já deve ter ouvido aquela regra que diz que "problemas pessoais só da porta da empresa para fora" e, possivelmente, deve ter tentado segui-la. Mas, até que ponto é possível separar sua vida pessoal de sua vida profissional? E o que fazer quando o fator de desequilíbrio emocional está envolvido no seu expediente?
Para poder manter as emoções em ordem e administrá-las é preciso ter consciência sobre si mesmo, ou seja, é necessário que você saiba o que coloca e tira você dos trilhos do equilíbrio emocional.
Há algum tempo se falava em equilíbrio entre vida pessoal e profissional. O fato de equilibrar as áreas nos remete à ideia de separação. Hoje não falamos mais em equilibrar e sim em integrar todas os campos da sua vida.

3 O que você pode fazer para tomar as rédeas de sua carreira?

Tenha claro o que você realmente quer para si, para sua vida e sua carreira. É importante que se questione muito, e saiba porque quer alcançar esses objetivos na sua vida.

Saiba qual experiência está buscando, ou seja, qual valor interno está em jogo. Esta é a chave para clarear seus objetivos.

É sua responsabilidade tomar as melhores e mais sábias decisões para assumir o controle de sua carreira.

E o que você fará hoje?

Será que está na hora de mudar o rumo e decidir algo diferente?

4 Nos últimos seis meses, alguém no trabalho falou comigo sobre o meu progresso?

É muito comum ouvir a mesma queixa de diversos colaboradores: "Nesta empresa não somos valorizados", ou "aqui nossas ideias não são ouvidas" e até mesmo "para algo dar certo em nossa empresa, tem que ser feito por alguém de fora".

É dever de todo líder ter olhos críticos para selecionar aqueles que vão trazer sucesso para seu negócio, mas também de preparar e desenvolver aqueles que já fazem parte da empresa. Mas nem sempre isso acontece, portanto, se ninguém falou com você nos últimos seis meses, vá atrás dessa informação!

Como estão seus resultados dos últimos seis meses?

5. Você é capaz de ouvir e gerenciar o esforço das pessoas ao seu redor no trabalho?

Empresas modernas não são só aquelas que usam e abusam da tecnologia e que têm altas capacidades produtivas, mas sim aquelas que ouvem seus funcionários ativamente. Bons líderes têm como principal característica a escuta ativa.

O propósito da escuta ativa é entender o que o outro pensa, como age ou o que está acontecendo, não deixar que certas informações fiquem vagas ou abstratas.

Quando paramos para ouvir a opinião de outros colaboradores, nosso leque de visão se abre, despertando assim soluções e novos fundamentos. O simples fato do gestor mostrar que se interessa, estimula o funcionário a realizar, pensar e procurar melhorar cada vez mais.

Saiba que santo de casa faz milagre, sim! E se praticarmos a escuta ativa poderemos encontrar respostas para problemas antigos na empresa.

E você, está ouvindo ativamente as pessoas?

6. Você sente falta de algo em sua vida ou em sua carreira?

Sentir falta é diferente de sentir saudades. *Saudade* é uma palavra da língua portuguesa, sem tradução em outros idiomas. Saudade é doce, suave, nostálgico. É quando você lembra e sorri. Sentir falta é quando você lembra, respira fundo, olha pra baixo e chora.

Sentir falta é quando a dor é física, quando o coração fica apertado, quando falta a razão. É perfeitamente possível sentir falta de algo que nunca teve.

O que tem faltado para você?

7   O que você gostaria de adiar?

Nem toda briga vale a pena lutar. Nem toda discussão merece sua energia.

Tenha mais flexibilidade. Seus valores são inegociáveis, todo o restante é passível de revisão. Pergunte-se: "isso fará alguma diferença daqui a um ano?" Se a resposta for *não*, ceda imediatamente e deixe suas energias concentradas em um propósito de valor.

Mantenha-se focado no mais importante e não somente em ter razão.

8   Do que você está fugindo no momento?

Fugimos do que não queremos enfrentar ou encarar. No trabalho, fugimos daquilo que é chato ou dará uma trabalheira danada para fazer.

Faça o que tem que ser feito e ponto final.

Aquela atividade é de sua responsabilidade? Se faz parte do escopo do seu trabalho, mesmo que outras pessoas também participem da execução, você é o responsável e será cobrado por isso.

Pare de dar desculpas sobre o por que daquele trabalho não ter sido feito. Somos hábeis construtores de desculpas, talvez seja nossa maior habilidade, todos nós somos bem desenvolvidos na arte de criar desculpas.

Quando contrata um serviço, você não está interessado nas desculpas e contratempos que a empresa teve para não entregar o que vendeu. O que deseja é o resultado, afinal, você pagou por aquele serviço.

Pois bem, a premissa é a mesma dentro de sua empresa!

9. Como vai sua alegria no dia de hoje?

Sua alegria não depende de fatores externos. A alegria está relacionada ao prazer de viver, satisfação e contentamento com a sua realidade.

Escolha viver o dia de hoje com alegria e comece com um sorriso no rosto. Ainda que não sinta verdadeiramente vontade de sorrir, faça mesmo assim. A ação mudará seu estado de espírito e logo você se sentirá mais leve e alegre.

Comece alegremente seu dia e colecione momentos de felicidade.

10. Quais pensamentos positivos lhe ocorrem com frequência e o fortalecem para ser mais produtivo no trabalho?

Aprendi que, literalmente, temos que treinar nosso cérebro para direcionar nossos pensamentos para o aspecto positivo. Isso não significa fugir da realidade, mas procurar enxergar alternativas.

Quais pensamentos você tem logo de manhã que o estimulam para desempenhar bem seu trabalho?

Os profissionais de sucesso compreendem que é inútil desejar que qualquer dia seja diferente. Cada um de nós é que deve tornar cada dia o mais especial possível. Por mais simples que pareça, pensar em suas boas ideias pode fazer uma diferença substancial na postura que você assume no trabalho, ou em toda a sua vida.

Se você despertar todos os dias da semana com o seguinte pensamento: "vou tornar este dia o mais positivo e maravilhoso que puder", ficará surpreso com a redução do seu nível de estresse. Esta simples mudança de atitude é extremamente valiosa para alcançar vivências mais positivas, tanto na vida, quanto no trabalho.

11 Você está prestes a reclamar?

Tem gente que não percebe que viver reclamando só serve para piorar as coisas. Conheço gente com visão negativa sobre quase tudo, que ao invés de olhar os benefícios que recebe da empresa, as coisas positivas que seu emprego oferece, vive reclamando de pequenas coisas, criando um clima de insatisfação nos outros e em si próprio.

Todos os dias encontro muitos profissionais pelas empresas que passo que estão pautando suas escolhas em expectativas irreais e por isso não alcançam sucesso em suas carreiras. Vejo pessoas reclamando constantemente de suas empresas, não tendo nenhum momento de alegria e, por isso mesmo, precisam de um alerta, um despertar.

É preciso acreditar em você, na sua capacidade de vencer, construir e transformar a realidade. Deixe de lado todo ceticismo e pare de reclamar, faça algo por você e verá a diferença na sua carreira.

12 Quais habilidades seu chefe e colegas de trabalho têm para lhe ensinar?

Trabalhar com pessoas diferentes pode ser muito fácil na teoria, mas na prática requer muita paciência e colaboração. Nossa natureza humana é gostar dos iguais e nos distanciar ou admirar os diferentes.

Hoje, quero que você foque nessas habilidades diferentes que seu chefe e seus colegas de trabalho têm. Quais delas você gostaria de aprender? Com certeza o mínimo que seu chefe e seus colegas esperam de você é colaboração e comprometimento.

Foque no que pode aprender com o seu chefe e com as pessoas que o cercam. Essa atitude vai acelerar seu próprio crescimento e todos terão relacionamentos produtivos e gratificantes.

13 Como você começou o dia?

Quando tudo vai bem, é fácil sair da cama a cada manhã e começar o dia com energia.

Como você, normalmente, inicia seu dia?

Quais são seus rituais que o fazem se sentir bem?

A maioria das pessoas começa o seu dia sem a plena consciência do seu corpo e da sua mente. Criam hábitos e passam a vida no piloto automático. Por isso é muito importante, antes de iniciar a rotina diária, parar por um momento e se concentrar em si mesmo e em seus pensamentos.

Não podemos esquecer que somos nós que escolhemos os nossos pensamentos e eles criam os nossos comportamentos. Cada escolha que fazemos determina como nos sentimos física, mental e emocionalmente.

14 Quais mudanças, práticas, você já percebe em seu comportamento atual?

Estamos em constante evolução e aprendizado. Você consegue identificar em seu comportamento o quanto mudou neste último ano?

E no trabalho? Consegue perceber alguma mudança? Tenha certeza de que no ambiente profissional você está sendo constantemente avaliado por seu comportamento.

Tenha conduta exemplar! Isso mesmo, tenha consciência do papel que você exerce na empresa e perante a sociedade, e tenha comportamentos adequados ao cargo exercido. Muitas pessoas não gostam quando digo isso e criticam o fato de terem que se policiar em alguns momentos.

A verdade é que, infelizmente, nem todas as pessoas que estão próximas a você querem o seu bem e desejam ajudá-lo. À medida que crescemos na hierarquia da empresa, mais responsabilidade assumimos e acumulamos mais peso para nossas ações. Lidar com tudo isso é um grande desafio.

15 O que eu faria caso o dinheiro não fosse necessário?

Claro que todos nós almejamos bons salários, ou melhor, um salário que nos proporcione uma vida confortável, pague nossas contas, nossos estudos, honre as despesas da casa, permita desfrutar de lazer e bens de consumo desejáveis.

Para isso trabalhamos horas e mais horas diariamente. Mas, vamos fantasiar um mundo no qual o dinheiro não fosse necessário. Você faria o que faz hoje? O que faria de graça?

Essa simples reflexão trará uma resposta sobre o seu papel no mundo.

Veja bem, se escolheu sua empresa atual porque ela oferece um mega salário, fique atento, pois se o negócio não combina com você, com certeza logo estará insatisfeito.

É possível trabalhar com algo que esteja alinhado com seus talentos. E vou além: esta é a chave para uma vida de plenitude, satisfação e grandeza.

16 O que mais me apaixona no que faço?

Paixão vem do coração e se manifesta através do otimismo, empolgação e determinação. É o fogo, desejo, convicção e o impulso que sustenta a disciplina para realizar nossa missão.

A boa nova é que podemos ativar a energia da paixão, direcionando-a para nosso trabalho e nossas tarefas. É crucial termos esse combustível que nos ajudará a continuar na caminhada até nosso destino final.

Crie paixão pelo que faz e sua perspectiva no trabalho ficará muito melhor.

17 Vamos mudar sua rotina?

Rotina é algo que todos devemos ter. Ela nos permite ter uma vida mais organizada, em um ambiente saudável, com menos ansiedade e com mais confiança e autonomia.

É importante seguirmos uma rotina diária, mas sem extremos. Devemos também separar um tempinho para atividades de lazer, quando pudermos fazer algo diferente do habitual, como nos divertir, distrair e nos desenvolver enquanto pessoa.

Descreva sua rotina diária de um dia qualquer.

Faça algo novo hoje!

Mudar a rotina pode lhe ajudar a conquistar coisas novas.

18 O que deseja melhorar em você no trabalho?

Em todos meus trabalhos com treinamentos e palestras, sempre peço para o público que levante a mão quem trabalha com pessoas tidas como de difícil relacionamento. Todos erguem seus braços. Quando volto a perguntar: "quem daqui é essa pessoa de difícil relacionamento?", raramente alguém levanta a mão, reconhecendo suas limitações.

Até hoje não fui apresentada a esse profissional de difícil relacionamento, assim como nunca encontro o fofoqueiro nas empresas. Todos sofrem com eles no dia a dia, mas será que essa pessoa "do mal" é sempre o outro? Nunca somos nós?

O objetivo de hoje é despertar a autorreflexão sobre como você tem tratado sua vida pessoal e profissional e sobre o que pode melhorar em você.

Coloque suas ideias em ação! Por mais simples que pareça, colocar em prática todas as suas boas ideias pode fazer uma diferença substancial na postura que você assume no trabalho, ou em toda a sua vida.

Daily Shots | Julho

19 Quando foi a última vez que você tirou uma folga no trabalho?

Durante todo o dia estamos sob muita pressão, seja no local de trabalho ou familiar. A correria do dia a dia não permite mais que você desenvolva outras atividades prazerosas como ir ao cinema ou teatro. Isso sem falar da falta da prática de esportes.

O simples fato de não descansar pode nos causar fadiga, embora a curto e médio prazos não estejamos conscientes disso. A agitação é tamanha que, algumas vezes, você se sente confuso e desorientado sobre os rumos da vida, do trabalho, da família e de todo o resto. Dúvidas e incertezas revelam receio e medos presentes, tal qual a falta de perspectivas.

Nem sempre podemos tirar férias, mas uma folga é super possível! Um dia diferente para você se cuidar, desligar e fazer algo diferente.

Programe-se e faça isso por você esta semana.

20 O que você faria por horas sem perceber a passagem do tempo?

O tempo não é um percurso contínuo e linear em que os fatos vão se sucedendo, distanciando-se cada vez mais do presente e seguindo em direção a um futuro glorioso e de progresso.

O quanto o passado é passado? O presente é, de fato, atual? O que significa, exatamente, "contemporâneo"? O passado pode estar mais perto do presente do que você imagina.

A percepção pessoal do tempo é uma das coisas mais curiosas do cérebro e compreender esse mecanismo nos mostra que a passagem do tempo é flexível.

Quais são as coisas que, quando você faz, não percebe o tempo passar? Que tal colecionar memórias que farão seu tempo ser mais duradouro?

21 O que você gostaria de aprender em sua vida?

Quem quer crescer profissionalmente tem que ter humildade para reconhecer que não sabe tudo e que vivemos em um constante aprendizado. O que passou não tem volta, mas daqui para frente você tem poder para escolher o que quer aprender no trabalho e para sua vida!

Existem vários motivos que dificultam a escolha sobre qual tema aprender, entre eles estão os modismos. A sociedade vive apontando alguns cursos e profissões como sendo as melhores, as mais reconhecidas e as mais rentáveis. Isso sem falar da família, que muitas vezes orienta os filhos a seguirem o mesmo caminho dos pais, ou escolherem profissões tidas como tradicionais e financeiramente mais seguras.

Lembre-se: quem está escolhendo o que aprender é você. Opiniões são bem vindas, porém, a responsabilidade da decisão é sua.

22 O que faz você ser você?

Vamos olhar mais com os olhos do coração do que com os da razão, para enxergar sua essência.

Acredito que as pessoas mais encantadoras são aquelas que possuem uma essência verdadeira, que transbordam atitudes simples e que enchem nossos dias de vida. Porque para viver de verdade é preciso se relacionar, mostrar-se, permitir-se amar o outro, um amor generoso, que torna qualquer passagem por este mundo algo realmente válido.

Quais são os vínculos que você tem criado com as pessoas ao seu redor que o tornam único?

A sua essência está no seu jeito de ser e de agir. Suas atitudes diárias são extremamente importantes para a construção da sua história. Pense nessas atitudes, avalie sua vida e tente encontrar sua verdadeira essência.

23 O que motivou você hoje?

Há dias em que você vai para o trabalho satisfeito e motivado. Há outros, porém, em que tudo o que mais queria era ficar em casa. Neste dia a tal da desmotivação aparece e nos sentimos anestesiados perante qualquer atividade na empresa.

Motivação é *motivo para ação*, uma razão para fazer alguma coisa. Ela está sempre presente. Pode ser boa ou ruim, no entanto, invariavelmente está lá. Acontece no momento. Não é algo que possamos comprar numa caixa ou numa garrafa e colocar na prateleira.

Pois bem, é isso mesmo: a motivação é de dentro para fora.

Então, o que o motivou hoje?

24 Por que o problema no seu trabalho ainda não foi solucionado?

Muitos profissionais acham que mudar de ambiente elimina seus problemas.

Não adianta nada mudar de ambiente e levar você com você. Os problemas tendem a se repetir. Mudanças apenas ambientais podem ser respostas a problemas ocasionais, mas dificilmente atacam as causas. Por isso, chamamos essas mudanças de remediativas. Elas apenas remediam o problema, mas raramente geram grandes mudanças.

Hoje, proponho que você reveja como tem enfrentado seus problemas no trabalho.

Quando você vai desligar o piloto automático de sua vida, pelo qual você é conduzido por uma rotina sem sequer saber para qual direção seguir? O que precisa acontecer para que acorde e escolha fazer algo diferente por você?

Tome uma atitude positiva hoje!

25 Qual é a sua ética de trabalho?

Ninguém gosta de falta de compromisso, palavras jogadas ao vento, desrespeito com o ser humano.

Antes de cobrarmos atitudes do outro, do chefe, da empresa e dos governantes, vamos parar um pouco para cuidar e avaliar nossas ações. Quer ter credibilidade? Então comece a cumprir sua palavra: não é o que você diz e sim o que você faz que vai contar no final das contas.

Eu proponho um exercício simples para que faça durante a próxima semana. Se gostar do resultado, continue por toda a vida. O exercício é o seguinte: só se comprometa com aquilo que realmente poderá cumprir e não permita que ninguém deixe algo em aberto com você. Se tanto você quanto a outra pessoa não puderem marcar um compromisso, então está desmarcado. Diga a verdade, pense bem, o que poderia dar errado? Como dizia Lee Iacocca: *"Quem você é fala tão alto que não consigo ouvir o que você diz"*.

26 O que você está fazendo para as pessoas se sentirem em harmonia ao seu lado?

Tenho aprendido em minha vida que devemos dar aquilo que queremos receber. É fácil falar, mas na prática não é tão simples assim.

"Não adianta você esperar que o mundo te dê amor, carinho e gentileza, se você funciona no modo grosseiro, raivoso e reativo." (Fátima Abate)

O mundo é como um espelho que devolve a cada pessoa o reflexo de seus próprios pensamentos. A maneira como você encara a vida faz toda a diferença. Que tal agir de acordo com o que queremos experimentar na nossa existência? O que você pode fazer hoje para que todos ao seu redor sintam harmonia?

27 Quais são as atividades que lhe trazem mais resultados?

Muitas atividades que nos aparecem são interessantes, mas nem tudo é importante. Quais tarefas com as quais você está envolvido trazem mais resultados para o que deseja na sua vida?

Tudo é uma questão de prioridade e é necessário ter disciplina para escolher fazer aquilo que tem que ser feito e não apenas o que queremos fazer.

Pessoas que não têm disciplina passam o dia fugindo de escolhas certas. Criam uma cortina de fumaça, enviam e-mails relatando o trabalho que estão fazendo, promovendo longas e intermináveis reuniões... Não apresentam resultados. Geralmente gastam seu tempo procurando desculpas sobre porquê algo não foi feito.

Pessoal, tropeços são inevitáveis, a infelicidade é escolha.

Sempre há razões, nunca uma desculpa.

28 Pense no seu último desempenho extraordinário que teve no trabalho. Qual foi a competência determinante para isso?

Relembrar pequenas vitórias no dia a dia profissional é muito importante para nos ajudar em momentos de estresse e crise. Quando estamos sob pressão, a tendência é aumentar a carga de cobrança interna e esse hábito causa cansaço e estresse.

Relembrar as competências que utilizamos para solucionar algum problema nos ajuda a enxergar as possíveis soluções e a sair com mais rapidez da situação adversa. Seja vigilante com suas competências positivas, para sempre usá-las quando precisar resolver os inúmeros novos problemas que surgirão em sua vida.

29 O que você pode fazer para transformar essa emoção negativa em aprendizado?

Emoções fazem parte de nós, sejam boas ou não, e governam nossas vidas. Temos duas maneiras de lidar com nossas emoções negativas. A primeira: mudar a forma de encarar a vida, mudar o foco e assim não ter razão para se machucar. É o que eu chamo de uma mudança de paradigma, e exige muita dedicação.

A segunda maneira é saber lidar com a emoção negativa. A próxima vez que ela surgir não recue, não fuja, não se estresse. Fique presente.

Crie o hábito de tirar o bom de tudo o que lhe acontece. Imediatamente, ao ter uma experiência ruim, busque analisar como isso vai lhe deixar mais sábio, mais forte e mais focado. Use uma situação negativa para gerar energia positiva.

30 O que você tem a perder?

No mundo dos negócios existe uma grande diferença entre fracassar e perder tudo. Se algo deu errado na sua carreira, isso não significa que perdeu tudo, pelo contrário, essa experiência deixará você mais preparado para retomar seu rumo profissional.

Perder tudo é quando você coloca em risco sua reputação, relacionamentos, valores e princípios, em detrimento de um trabalho. Para quem fracassou e quer se reerguer, a dica é que mantenha sempre a inteligência emocional e encare o fato como algo totalmente natural no caminho da carreira.

É importante o profissional ter em mente que para vencer, alguns fracassos farão parte de sua caminhada. Não existem fórmulas mágicas para o sucesso, sem ter enfrentado a dura realidade do fracasso.

31 Quais ameaças surgem por conta de seus pontos fracos?

Quais são seus pontos fracos? Se pudesse destacar, qual estaria no topo da lista? Pois bem, agora analise quais atitudes suas estão ligadas ao seu ponto fraco e quais consequências você poderá enfrentar em decorrência delas.

Pense em diferentes reações que você poderá adotar em uma próxima situação. "Na próxima vez que isso acontecer, vou agir dessa forma (destaque as ações), o que trará um melhor resultado para mim e para as pessoas envolvidas".

Isso não é garantia de que você não repetirá a mesma conduta numa próxima vez, mas ter consciência dos seus atos é o único caminho para a mudança de comportamento.

Estamos em constante evolução e aprendizado. Não se julgue demais, vá com calma. Ninguém é perfeito e você também não é!

Anote aqui 5 insights que teve neste mês de Julho:

1 _____
_____
_____
_____

2 _____
_____
_____
_____

3 _____
_____
_____
_____

4 _____
_____
_____
_____

5 _____
_____
_____
_____

AGOSTO

Daily Shots

INSPIRAÇÕES
PARA COMEÇAR
BEM O SEU DIA
NO TRABALHO

1. O que fazer nos próximos 30 dias para tornar seu trabalho mais estimulante e desafiador?

O que você pode aprender de novo nestes próximos dias que vai lhe incentivar e gerar nova energia positiva em seu trabalho?

Um desafio sempre deve propiciar uma situação estimulante e animadora para você.

Para evoluir é necessário que você procure se desafiar frequentemente, fazendo com que você saia da sua zona de conforto. Fazer sempre as mesmas coisas e seguir uma rotina pré-determinada podem oferecer bastante estabilidade, no entanto, colaboram para que o seu cérebro se torne preguiçoso. E, como já falamos, para evoluir é necessário deixar a preguiça de lado.

Agora, pergunte-se, no que você deve se desafiar?

2. Você está hesitando em tomar alguma decisão?

É preciso aceitar quando uma etapa da vida termina. Se você insistir em permanecer nela, poderá perder a alegria e o sentido de viver. Chame como quiser: fechar ciclos, portas, encerrar capítulos. O importante é finalizá-los e seguir em frente.

Não podemos viver o presente pensando no passado e nem ficar o tempo todo nos perguntando: "Por que isso aconteceu comigo"?

Tome logo uma decisão e se liberte daquilo que o fere.

Se abra para o novo.

3. O que desperta a sua preguiça? O que faz você ficar preguiçoso?

Você deve sempre se questionar quando não sente vontade de fazer certas coisas, para poder colocar alguns sentimentos e expectativas nos devidos lugares.

A preguiça no trabalho é uma indisposição bastante comum e pode acabar gerando consequências desagradáveis. Deixar tarefas para depois pode resultar num trabalho mal feito ou inacabado e, como consequência, você acaba desmotivado por não ter conseguido. Ou seja, deixar para depois prejudica a você próprio.

Geralmente, a preguiça é resultado de uma falta de entusiasmo ou mesmo fruto de questões mal resolvidas, sejam emocionais ou não. O sinal de alerta vem quando você acorda e sente uma resistência em ir trabalhar.

Assuma a responsabilidade e hoje deixe a preguiça para lá!

4. Que tipo de pessoa você é?

Li um texto de Martha Medeiros que dizia como é limitado julgar os outros no quesito melhor ou pior. Vivemos numa sociedade complicada, com os juízos de valor, e acredito que viveríamos bem melhor num mundo onde as diferenças fossem valorizadas como a busca de uma identidade própria.

Os "diferentes" abrem caminhos, criam opções, sobrevivem da sua própria independência, enquanto os outros vêm atrás, concorrendo ao título de melhores ou piores.

Não permita que a percepção limitada de outras pessoas a seu respeito defina quem você é.

5 O que você tem feito para cuidar de sua saúde?

Estamos imersos em uma bolha gigantesca de cuidados com a saúde. Para todo lado que você olha são dicas e mais dicas para ficar mais saudável e viver melhor.

Você ao menos já se perguntou: por que eu devo querer cuidar da minha saúde?

Se não entender a resposta, você não vai encontrar motivação para continuar.

Cuidar da saúde vai demandar muita força de vontade e uma estratégia para que você se mantenha sempre motivado e aproveite a caminhada. Então, encontre sua resposta interna e se cuide de verdade.

Tome conta da sua saúde para viver mais e melhor!

6 Há alguém que eu possa considerar como um amigo na empresa?

Qual é a sua opinião sobre amizades no ambiente de trabalho? Muitos líderes me perguntam sobre qual conduta devem tomar com sua equipe, no que diz respeito a esse assunto.

Boas relações são a espinha dorsal de organizações bem sucedidas.

Para que a amizade dê certo no trabalho é preciso saber separar as questões pessoais das profissionais e, assim, não prejudicar nem a empresa, nem a si mesmo e nem as pessoas ao seu redor. A amizade no ambiente corporativo é saudável e benéfica para a organização, quando é acompanhada pelo profissionalismo que é exigido na empresa. Equilibrar as questões profissionais com as amizades requer maturidade por parte dos envolvidos.

Quem é seu amigo no trabalho?

7 De 1 a 10, qual nível de disciplina você teve com seus compromissos na última semana?

É fato que nem tudo que colocamos em nossa agenda depende apenas de nós para que seja executado. Imprevistos são inevitáveis, mas devem ser exceção e não regra.

Vamos analisar sua agenda da semana passada: você conseguiu cumprir a maioria dos compromissos marcados?

Ter disciplina é a capacidade de lidar com fatos difíceis, pragmáticos, e fazer o sacrifício que for necessário para cumprir o que foi planejado.

Como está sua disciplina para a próxima semana?

8 Qual é o seu principal objetivo de carreira?

Escrever um objetivo de carreira ajudará a compreender melhor o que você é capaz de fazer e quais são seus interesses, habilidades e competências.

É importante ter uma visão clara dos seus objetivos, independentemente se está iniciando ou se já tem experiência profissional. Seja qual for o seu caso, não se engane: não planejar seu futuro pode impedi-lo de chegar onde deseja.

Todas as decisões que tomar terão um impacto a curto, médio ou longo prazos; não tomar decisões é em si uma decisão: ser passivo e apenas aguardar que surjam novas oportunidades reflete uma atitude de resistência à mudança, e também cobrará o seu preço no futuro.

9 Como têm sido seus relacionamentos com colegas de trabalho?

Sempre ressalto a premissa de que na empresa não precisamos gostar dos nossos colegas, porém, é crucial respeitá-los.

Como você descreveria a forma como tem tratado seus colegas de trabalho?

Eles estão no mesmo barco que você e, é claro que possuem habilidades importantes para a empresa, senão já não estariam trabalhando lá.

Aquela regra de ouro que funciona há mais de dois mil anos e que prevalece ainda nos dias de hoje: *"Tudo, portanto, quanto desejais que os outros vos façam, fazei-o, vós também, a eles. Isto é a lei e os Profetas."* (Mt7:12). Ou seja, o que eu não quero que façam comigo eu não devo fazer para o próximo. Se cada ser humano usasse essa regra máxima em suas ações, tudo seria bem mais fácil.

Olhe hoje para seus colegas com mais empatia e respeito.

10 Quais as coisas que você tolera no trabalho?

Não precisamos gostar das regras da empresa, não precisamos nem ao menos aceitá-las, no entanto, se escolhemos trabalhar naquele lugar, devemos cumpri-las.

As pessoas são diferentes e pensam de formas distintas. Reunir pessoas diferentes é condição *sine qua non* para o sucesso da empresa no mercado.

Ser mais tolerante requer admitir nos outros maneiras de pensar, agir e sentir diferentes ou mesmo opostas às adotadas por nós mesmos.

Quão tolerante você consegue ser na empresa?

11 Qual foi o último projeto ou ação que você teve consigo mesmo?

Provavelmente você deve estar envolvido nos projetos de sua empresa. Afinal, é para isso que foi contratado.

E qual foi o último projeto desenvolvido para você? Precisamos achar o equilíbrio entre ajudar a empresa a atingir suas metas e também nos ajudar a sermos melhores.

Qual será seu próximo projeto para ter uma vida melhor?

12 O que fazer, hoje, para ir na direção do seu objetivo de carreira?

Vamos recapitular suas metas profissionais? Sempre as tenha em mente de maneira simples, direta e prática.

Que pequeno passo ou ação você pode desenvolver hoje que o deixará mais próximo do seu objetivo?

Quando se realiza uma pequena ação as chances de alcançar as metas e objetivos são bem maiores. Como você sabe onde quer chegar, torna-se capaz de avaliar, dia a dia, semana a semana, se está no caminho certo.

No entanto, lembre-se de que é fundamental que o plano seja como um ser vivo: deve estar em constante adaptação. Ajustes se farão necessários sempre que novos objetivos e metas surgirem. Como se vê, um precioso princípio do planejamento é a flexibilidade.

13 Houve algum tempo em sua vida em que o problema que o aflige hoje não existia?

Não sei qual é o tamanho da batalha que você está enfrentando hoje.

A vida é feita de momentos, escolhas, consequências, oportunidades, alegrias, tristezas, atitudes, decepções, frustrações, possibilidades, expectativas, incertezas, sucessos e tudo o que é a realidade desse mundo.

Na vida nada é para sempre, tudo passa.

Desejo força para que enfrente seu dia da melhor forma que puder.

14 Seu objetivo profissional é permanecer confortável e evitar riscos?

Ficar na zona de conforto tem suas vantagens, não sejamos hipócritas. É familiar, pode ser sedutora e irresistível. Pode ser definida como a nossa tendência a fazer o que é fácil, cômodo e conhecido, sem intenção de interromper ciclos viciosos e improdutivos, ou de começar algo novo ou desafiador, que demande autodisciplina, motivação e comprometimento, e que cause demanda extra de energia e nos tire da inércia.

Cuidado para não ficar muito tempo na zona de conforto, pois você poderá desperdiçar o próprio talento, o que é um processo de autossabotagem. Isso poderá trazer impactos negativos na carreira, na imagem e na empregabilidade: ao invés da pessoa ter uma carreira ascendente e bem sucedida, ficará estagnada ou até regredir profissionalmente.

Daily Shots | Agosto

15 Você está irritado com alguém na empresa?
Como pode resolver a situação?

Por trás de toda irritação há algum grau de frustração. Nós nos irritamos porque nos sentimos incapazes de controlar alguma situação, ou pessoa.

De nada adianta você direcionar esse sentimento aos colegas de trabalho, porque eles nunca vão se comportar exatamente como você quer ou pensa que devem se comportar. Os outros são somente a desculpa que você utilizou para poder expressar a sua irritação.

Não são as suas falhas que lhe deixam irritado. Simplesmente, você tem uma ideia do que "dever ser" na vida e não consegue se ajustar a ela.

Se há um assunto que está pendente com alguém, você deve resolvê-lo! Peça desculpas, porque essa irritação não tem nada a ver com o outro e sim com você mesmo.

16 A sua realidade atual corresponde aos seus ideais mais secretos?
Quais são eles?

Saber o que realmente o impulsiona é muito importante para não cair em armadilhas profissionais. Por não saber o que é realmente essencial para você, tudo parece importante. E como tudo parece importante, você acha que precisa fazer tudo.

Infelizmente, outras pessoas o veem fazendo tudo e, assim, esperam que você faça exatamente isso. E você se mantém tão ocupado que não tem tempo para pensar sobre o que é realmente importante para você.

Será que não chegou o momento de parar e rever seu caminho para ajustar a direção da sua carreira?

17 Como descrever a sua saúde hoje para alcançar seus objetivos?

Como se sente hoje? Está envelhecendo bem? Independente, fazendo suas coisas sem a ajuda dos outros, sem dar trabalho para ninguém?

Cuidar da sua saúde é a chave para terminar seus projetos de vida.

Que você tenha saúde física, mental, emocional, espiritual e financeira para alcançar seus objetivos.

18 Você está preparado para fracassar?

As falhas existem na vida de qualquer profissional e isso não é motivo para desespero. Longe de ser um problema, elas ajudarão no caminho ao êxito.

Uma das grandes demandas do cenário atual é a exigência de criar a capacidade de administrar de forma produtiva o fracasso e tirar dele o aprendizado necessário.

Só erra quem faz. E não se trata de erros inconsequentes ou incalculados, mas muitos profissionais e empreendedores jogam a toalha após a primeira decisão errada, achando que o êxito de seu trabalho estará comprometido e estarão fadados ao fracasso.

Entretanto, trocar os pés pelas mãos – principalmente quando se está começando – faz parte do processo de crescimento na vida de qualquer profissional.

19 Você lida bem com a rejeição?

Uma das feridas emocionais mais profundas é a da rejeição, porque quem sofre com ela se sente rejeitado internamente, interpretando tudo o que acontece ao seu redor através do filtro da sua ferida.

Há feridas que não são vistas, mas que podem se alojar profundamente em nossa alma e conviver conosco pelo resto das nossas vidas. São as feridas emocionais, as marcas dos problemas vividos.

A ferida da rejeição pode ser curada prestando uma atenção especial à autoestima, começando a se valorizar e a reconhecer por si mesmo, sem precisar da aprovação dos demais.

Cure suas feridas emocionais e procure ajuda profissional para lidar com elas, se necessário.

20 Você tem liberdade financeira?

Faça uma reserva financeira para manter seu padrão de vida por pelo menos um ano de trabalho. Essa questão é mais complexa para a nossa realidade brasileira. É exatamente por esse motivo que a maioria dos brasileiros insatisfeitos com trabalho atual não podem simplesmente largar tudo e recomeçar em algo novo, pois temos contas a pagar. Ter responsabilidades financeiras e familiares não é um privilégio exclusivo seu!

Na boa, até quando essa realidade de "aguentar meu trabalho atual porque tenho contas a pagar" servirá como uma desculpa para você não se mover?

Quando é que você vai começar a se mexer e colocar foco e energia em algo que realmente faça diferença tanto na sua vida, quanto na vida das demais pessoas?

21 Por que não podemos simplesmente pedir demissão e sair porta afora para fazer algo novo?

O que não nos falta são histórias corajosas de profissionais que largaram tudo para seguir numa nova carreira com significado. Embora algumas pessoas se sintam inspiradas por esses relatos, outras se sentem incapazes e até intimidadas. Por quê?

Porque, apesar de sonharmos com uma mudança de carreira, muitas vezes nos falta coragem para isso. Metade dos trabalhadores ocidentais está insatisfeita com seus empregos, mas cerca de um quarto dessas pessoas é temerosa demais para embarcar em qualquer mudança, aprisionadas por seus medos e sua falta de confiança.

"Se o mergulhador preocupar-se apenas com o tubarão, jamais colocara as mãos na pérola", disse Sa'di, um poeta do século XIII.

Quase todo mundo que contempla uma mudança de carreira se sente profundamente ansioso frente a essa possibilidade. A grande sacada é começar a agir! Faça algo por você hoje, mas vá com calma.

Não tenha medo de ser iniciante numa nova carreira. Tenha medo de nunca começar.

22 O que fazer para que outras pessoas notem uma mudança positiva em você?

A mudança faz parte da vida e nenhum plano que façamos é, de fato, permanente. Nem mesmo as pessoas, as coisas e os sentimentos são eternos. E o melhor a se fazer é emanar energias positivas para que apenas as coisas boas retornem até você.

A melhor mudança é aquela que vem da alma, da necessidade do próprio ser em evoluir, em se transformar e ser melhor. Não tenha medo da mudança e nem de ser mudado. Esteja aberto ao novo e todos em sua volta irão notar algo positivo em você.

23 Na sua profissão, você é irônico?

A ironia é uma péssima ferramenta para conversas sensíveis, pode ser encarada como deboche ou menosprezo à outra opinião.

Geralmente, o profissional irônico é aquele que pensa que sabe tudo. Esse é um especialista em exageros, meias verdades, jargões, avisos inúteis e opiniões não solicitadas.

Chega de ironia e fale para ser realmente compreendido. Quando você esclarece sua intenção principal, as pessoas sabem de onde você vem. Quando o que quer comunicar fica nas entrelinhas, pode resultar em mensagens truncadas. Explicar porque está expondo algo antes de realmente fazê-lo é um modo simples de direcionar a atenção para o que deseja.

24 Está de saco cheio do trabalho? Cuidado para não chutar o balde errado!

Se eu ganhasse na Mega-Sena, largaria tudo, sairia de fininho dessa empresa e nunca mais voltaria, estaria livre dessa tortura!

Você já se viu em momentos assim? Já disse algo parecido? Se sim, bem vindo ao clube! Pois é, nem tudo caminha na velocidade que esperamos.

É normal, às vezes, ficarmos de saco cheio da vida, mas nem tudo está perdido e sempre é preciso ter uma perspectiva diferente para não chutarmos o balde errado.

Pode ser apenas um dia ruim, todos nós temos alguns desses, aceite. Aquela máxima de um dia após o outro também é verdadeira. Descansar e dormir com a questão pode ser um santo remédio para tomar a melhor decisão.

Fique forte e seja o melhor que puder ser para chutar o balde certo em sua vida.

25 Pense sobre seu trabalho atual e o que gostaria que fosse diferente.

Vamos lá, faça esse exercício para identificar especificamente o que deseja mudar, e o mais importante: o que não mudaria? Com certeza existe algo em seu trabalho atual que você deixaria como está! Essa simples mudança de foco para observar o que não mudaria no seu dia a dia na empresa faz com que você valorize as coisas boas que já possui no trabalho, e isso poderá ajudá-lo a enfrentar os momentos difíceis no âmbito profissional.

Por mais complicada e difícil que sua vida esteja atualmente, nem tudo está perdido. Você sempre pode escolher como reagir a isso tudo.

De nada adianta fugir da realidade, imaginando trabalhos fictícios e uma vida de ilusão. A realidade continuará lá, ela não muda se você não mudá-la!

Que você tenha força e confiança para mudar sua vida profissional e, se necessário, recomeçar.

26 Qual será o próximo curso que você fará?

Estar em constante desenvolvimento é necessidade do ser humano. Sem estudo não somos ninguém. Estou para ver qualquer civilização que cresceu sem estudo!

Eu amo estudar e cada vez que aprendo sobre um assunto novo, um mundo se desdobra para mim e sempre fico com a sensação de que não sei quase nada: é a dor do crescimento!

Quem pára de estudar, fica no mesmo lugar, estaciona na vida, não tem nada a oferecer a si mesmo e a ninguém.

Quando você dará o próximo passo rumo ao seu desenvolvimento?

Daily Shots | Agosto

27 Você já elogiou seu chefe hoje?

É mais comum encontrar reclamação do que elogio sobre a atuação do chefe.

Realmente não é nada fácil exercer a liderança. Só sabe a complexidade da função quando se assume tal posto. E quem já assumiu esse papel sabe que é complicado voltar atrás na carreira.

O mal é a falta de empatia. Espera-se sempre do líder algo a mais do que lhe compete. Sejamos realistas, não é possível que a maioria dos líderes seja tão ruim assim no exercício da liderança!

Que tal validar o bom trabalho do seu chefe hoje? Assim como você gosta – e muitas vezes precisa – de ser elogiado pelo bom trabalho que executa, pode ser que um elogio específico seja tudo que seu chefe precise ouvir hoje.

Seja justo com quem faz a diferença. Um elogio pode transformar uma vida! Elogiar é validar as qualidades do outro, focar nos aspectos positivos, tornando-o mais seguro e confiante.

28 Você está firme, fortemente estabelecido, inabalável e determinado para alcançar o seu próximo objetivo?

O escritor James Hunter, autor de **O Monge e o Executivo**, diz que *"os seres humanos têm um profundo anseio por significado e propósito em sua vida e retribuirão a quem os ajudar a atender a essa necessidade. Eles querem acreditar que o que estão fazendo é importante, que serve a um desígnio e que agrega valor ao mundo"*.

Isso vale para todos nós. Vislumbre diante de si apenas seu propósito e o que realmente importa para você!

29 Quanto você tem controlado o que fala?

A gente não aguenta ouvir o que o outro diz sem logo dar um palpite melhor, sem misturar o que ele diz com aquilo que a gente tem a dizer. Como se aquilo que estamos ouvindo não fosse digno de consideração e precisasse ser complementado por aquilo que temos a dizer e que, é claro, é muito melhor.

Escute mais, fale menos. Stephen Covey disse que quando ouvimos mais com a intenção de compreender os outros do que com a de retrucar, começamos a construir a verdadeira comunicação e o verdadeiro relacionamento.

As oportunidades para falar abertamente sobre qualquer assunto e ser mais bem compreendido surgem de modo fácil e espontâneo. Procurar compreender exige consideração, procurar ser entendido requer coragem. A eficácia reside no equilíbrio das duas coisas.

30 De 1 a 10, como você classifica seu humor nesse mês que passou? O que as pessoas ao seu redor diriam sobre seu humor?

Não é preciso ser engraçado para ter senso de humor, você só precisa aprender a ver o lado positivo das coisas.

O senso de humor pode ser a maior qualidade de uma pessoa. Essa habilidade pode ajudar você a interagir mais facilmente com os outros, melhorar a sua saúde e até mesmo ajudar a superar situações difíceis.

Aproveite as coisas pequenas, procure humor nas situações cotidianas. Sorria sempre que puder. Além disso, tente fazer outras pessoas sorrirem também. Faça do sorriso sua prioridade, para você e para os outros.

31 — O que é perdão? Quem você poderia perdoar?

O verbo perdoar tem a sua origem no latim (*per:* completo; *donare:* doar), sendo o seu significado prático **doar-se por completo**. Isto é, doar a compreensão e os bons sentimentos, mostrando a face da benevolência e da pacificação, colocando-se no lugar do ofensor, tentando compreendê-lo, entregando a túnica e doando a capa do desprendimento.

Perdoar não é esquecer! Jamais! Não somos idiotas e sabemos usar bem nossa memória. É simplesmente não permitir machucar-se com aquele evento, toda vez que se lembrar.

Confesso que já tive muitos problemas em perdoar e aprendi que um dos benefícios do perdão é, em primeiro lugar, para quem perdoa. O ofensor, talvez, nem se lembre mais da ofensa e do ofendido. Ele pode estar em outras vibrações.

Então, o que estamos esperando? Vamos perdoar, vamos ser felizes, ter saúde e melhor qualidade de vida.

Anote aqui 5 insights que teve neste mês de Agosto:

1 _____
_____
_____
_____

2 _____
_____
_____
_____

3 _____
_____
_____
_____

4 _____
_____
_____
_____

5 _____
_____
_____
_____

Daily Shots

SETTEMBRO

INSPIRAÇÕES
PARA COMEÇAR
BEM O SEU DIA
NO TRABALHO

1. Como você se vê daqui a três anos? Onde você vai estar?

No mês de Junho deste livro falamos do norte para cinco anos, portanto você já havia parado para pensar no futuro.

Vamos falar de curto prazo, para daqui a três anos. Convido você a checar esse planejamento para saber se suas ações de hoje estão condizentes com o que você deseja. Comece a planejar agora.

Viver sem planejamento de carreira é como matar moscas o dia todo. Mantém você ocupado, sem tempo para se dedicar a outras coisas interessantes, e ao final do dia dão a sensação de cansaço.

Quando é que você vai construir uma tela na janela?

2. Você tem mais afinidades ou amizades no trabalho?

Não confunda bom relacionamento, com amizade.

Relacionar-se bem indica respeitar o próximo com suas diferenças. Existe uma confusão entre afinidade e amizade. A maioria dos profissionais tem afinidades no trabalho, afinal convivem mais de 10 horas todos os dias no mesmo ambiente.

Saiba que é muito raro construir amizades no trabalho. Se você conseguiu, considere-se um sortudo! Nós amamos nossos amigos porque os escolhemos, mas no âmbito profissional, normalmente, não é possível escolher quem irá trabalhar ao seu lado e é aí que mora essa sutileza vital para o sucesso na empresa. Portanto, é possível se relacionar muito bem com aquele profissional que você não gosta e nem o teria como amigo, desde que o respeito prevaleça.

3. Como fica o trabalho quando seu coração está partido?

Quando a gente sofre qualquer decepção na vida, as marcas são inevitáveis. Pode ser que você tenha terminado um relacionamento amoroso, tenha sofrido uma traição ou um pé na bunda, ou até mesmo esteja passando por um divórcio.

E aí, como fazer para manter um bom desempenho nesses momentos em que está passando por um grande sofrimento?

Eu sei que você é um bom profissional e não deixa a peteca cair no trabalho, mesmo com suas emoções abaladas, mas quando estamos numa situação pessoal complicada é natural que respingue um pouco na sua performance. Ninguém é de ferro.

Dependendo do ocorrido, você até consegue tirar uns dias de folga do trabalho para se recuperar do choque, mas entenda que algumas dores emocionais podem demorar um bom tempo para se curarem e até que isso aconteça você continua tendo responsabilidades no trabalho.

Você não pode controlar a maior parte das influências de sua vida, mas você tem controle absoluto sobre o que elas significam para você.

4. De quem depende a ação para sua vida melhorar 100%?

É verdade que a vida hoje é cheia de problemas, alguns simples, outros mais complexos.

Mas o que pode ajudar você a ter uma vida melhor agora?

Você não pode interferir nas atitudes dos outros, mas pode controlar seus sentimentos e seu modo de encarar a situação.

Depende de você!

A alegria é como um remédio que nos ajuda a lidar com as situações mais difíceis. No dia de hoje, concentre-se nas coisas positivas e mantenha seu coração alegre.

5 Diminua a velocidade! Quão apressado você esteve nesta última semana?

Como diz meu amigo Christian Barbosa, *"Pare de correr e comece a andar"*. Isso não significa deixar de ser rápido, não confunda as coisas. Significa diminuir a velocidade e aproveitar melhor o tempo durante sua jornada.

Temos que ter paciência para esperar as coisas acontecerem. Não saia correndo e apressando os seus sonhos. Viva um dia de cada vez, aproveitando intensamente cada momento.

Siga em frente com firmeza, sem pressa, dando um passo após o outro. Cultive os bons momentos que surgem em sua vida. Lembre-se de que nada acontece por acaso e tudo tem um propósito ainda maior.

6 Quantos pés na bunda você precisa levar para entender que seu ciclo nesta empresa está acabado?

Seja nos relacionamentos amorosos e até mesmo nas relações de trabalho, existem sinais que indicam que seu período naquele lugar realmente terminou e que insistir não o levará a lugar nenhum.

Às vezes, não queremos aceitar a realidade. Afinal de contas, lutamos tanto por aquela promoção na empresa, lutamos para sermos reconhecidos, respeitados, valorizados, queremos ter paciência e aguardar mais um pouquinho pois temos a esperança de que "quem espera sempre alcança". Mas nem sempre esse ditado corresponde à verdade.

Você é o único capaz de identificar se ainda há chance na sua atual empresa. Você não precisa de nenhum pé na bunda para tomar as rédeas da sua carreira, mas, às vezes, é necessário para o empurrar pra frente! Seja corajoso.

7   O que inspira você hoje?

Todos precisamos de uma força que nos estimule a levantar da cama ao acordar, a enfrentar os desafios da vida, a sentir prazer em fazer algo e a correr atrás de nossos objetivos.

Uma pessoa inspirada consegue driblar qualquer imprevisto e se sair bem em todos os desafios propostos, até mesmo nas situações mais difíceis.

Quando me sinto desmotivada, me pergunto: "O que me inspira?". Fazendo isso, lembro-me dos motivos que me estimulam e começo o processo de busca daquilo que me faz seguir em frente.

Ação gera inspiração.

8   Qual é a sua receita para ser mais produtivo?

Muitas pessoas argumentam que precisam de dias com mais de 30 horas para que consigam terminar todos os seus afazeres. No entanto, o verdadeiro segredo está em como ter mais produtividade, aproveitando melhor o seu tempo.

Vou destacar três ações que considero importantes:

1. Regra do 80/20: quais são os 20% de trabalho que renderão 80% de resultados?

2. Foque nas coisas importantes e suprima as urgências.

3. Decida qual será o resultado antes mesmo de começar.

Quais são as suas experiências para conseguir ter mais produtividade no dia a dia?

9. Qual foi a coisa mais criativa que você fez recentemente?

As pessoas mais criativas são aquelas que se dispõem a conhecer coisas novas, expandir seus horizontes e ser surpreendidas. Não resista e nem descarte tudo o que for diferente. Além disso, aceite as oportunidades para experimentar o novo.

Ser criativo não está relacionado a fazer algo super-ultra-mega diferente, mas, qualquer coisa que conseguiu fazer de um jeito mais fácil e rápido, é porque sua criatividade esteve envolvida.

Esteja aberto a desenvolver mais sua criatividade no trabalho.

10. O que você está ensinando aos outros no trabalho?

Com nossas atitudes estamos sempre passando uma imagem e um aprendizado.

O que as pessoas ao seu redor têm aprendido com você?

Tenho certeza de que tem visão mais positiva para um mundo melhor, uma empresa mais adequada e profissionais ideais para se trabalhar juntos.

Qual característica gostaria de transmitir às pessoas que trabalham com você?

Faça isso hoje!

11 Você recebe bem e aceita os elogios?

Um feedback positivo pode ter efeito curativo sobre a pessoa que o recebe. Às vezes, um simples elogio é tudo que alguém precisa ouvir para se manter conectada com o projeto ou a causa na empresa: pode ser muito poderoso e também muito eficaz.

Todos nós precisamos de um retorno, seja positivo ou negativo, sobre nosso comportamento ou desempenho.

Sonegar feedback positivo a alguém é uma espécie de castigo psicológico. Elogie as pessoas.

E como você reage ao ser elogiado?

Agradeça de coração, assim você vai estar validando seus pontos fortes e se sentirá mais seguro para repetir o feito numa próxima oportunidade.

12 Você é o mesmo em todos os lugares?

Aquela pessoa que diz ser o mesmo em todos os lugares está mentindo, ou arcará com sérias consequências. Sua essência não muda, ou seja, se você é honesto, agirá com honestidade em qualquer lugar, porém, seu comportamento muda de acordo com o ambiente. Não podemos adotar a mesma conduta em uma festa e na empresa, por exemplo.

Como Darwin disse: *"Vence não o mais forte, e sim aquele que melhor se adapta"*.

E você, está atento sobre as responsabilidades que seu cargo demanda?

13 O que é importante para você no trabalho?

O que você valoriza de verdade no seu trabalho?

Nem sempre se trata somente de dinheiro. Às vezes é o clima da empresa, o produto que é vendido, o tipo de trabalho, status, as amizades e trocas inteligentes com gente inteligente, as boas conexões que a empresa proporciona, ensinamentos etc.

Defina o que importa para você e então estará mais apto a tomar decisões mais acertadas para sua carreira numa próxima mudança de área ou empresa.

14 Que tal ter uma conversa significativa com alguém do seu trabalho? Escolha uma pessoa diferente.

As conversas significativas são aquelas conversas mais íntimas, mais importantes, onde demonstramos o que realmente pensamos, falamos sobre o que sentimos e damos nossa opinião verdadeira sobre as coisas.

É o famoso "ser nós mesmos", quando falamos quem realmente somos e o que queremos, sem nos preocupar com o que o outro irá pensar.

São aqueles assuntos sobre o que gostamos e o que nos interessa. Falamos sobre nossos medos, anseios, nossas vontades e coisas que realmente importam para nós.

Invista em alguém hoje, tenha uma conversa significativa e de qualidade com uma pessoa do seu trabalho.

Escolha um colega, pense num bom tema para conversar, desde que não seja algo sobre você, ou sua carreira. Ouça de verdade a opinião e percepção daquela pessoa sobre o que estiverem conversando e, dessa forma, você estará gerando laços importantes no trabalho.

15 Você já se sentiu prejudicado numa promoção na empresa?

Aquela vaga especial tinha tudo para ser sua, mas na hora *H* o escolhido foi outra pessoa que nem tinha as competências necessárias para o cargo, mas fazia parte da *panelinha* do chefe.

É importante ressaltar que, à medida em que seu nível hierárquico sobe na empresa, menos as habilidades técnicas se fazem valer e são as comportamentais que ditam as regras do jogo corporativo. Relacionar-se bem é crucial para seu sucesso na escalada profissional.

Quais são as estratégias possíveis e diferentes formas para conquistar sua próxima promoção no trabalho?

16 Como está sua imagem na empresa?

A imagem profissional tem três vertentes: como você se vê; como os outros o veem e a imagem que você gostaria de transmitir.

Já lhe disseram que quando o viram pela primeira vez tiveram a impressão de que você era de determinada maneira e, depois de o conhecerem melhor, viram que você não era bem daquele jeito?

Se você já passou por isso, significa que você deve ajustar sua imagem profissional. E sua imagem vai além das vestimentas, está atrelada às suas atitudes e resultados.

17 Você tem procurado ideias que o auxiliem no desenvolvimento do seu próprio negócio?

O primeiro passo para quem quer se aventurar no mundo dos negócios é ter aquela ideia de um milhão de dólares que tantos sonham ter. Apesar de uma ideia não valer absolutamente nada se não for bem executada, é sempre um bom começo para quem deseja empreender.

Diferentemente do que muitos pensam, não existe fórmula mágica para gerar insights de novos negócios. Por mais que pareça óbvio, uma boa maneira de se ter uma boa ideia é não ter medo de sonhar grande e de pensar em muitas variáveis.

Pense hoje sobre como poderia iniciar seu próprio negócio e deixe as ideias fluírem.

18 Quem nunca sofreu uma injustiça no trabalho?

Toda situação tem uma perspectiva diferente quando se está participando do fato em si.

O problema está na interpretação do ocorrido: sua imagem pode ficar arranhada porque um Fulano contou primeiro para o chefe uma versão equivocada sobre aquele evento.

Às vezes, ter paciência e esperar a situação esfriar pode lhe ajudar a tomar decisões melhores.

Se você sofreu qualquer injustiça, ser paciente nessas circunstâncias não significa gostar dos golpes que recebemos, mas reconhecermos que eles fazem parte da vida e que, apesar do sofrimento que provocam, não devemos optar pela amargura, pela vingança ou pelo desespero e, sim, arregaçar as mangas e enfrentar o desafio com esperança.

A verdade sempre aparece! Confie.

19 Qual foi o último risco que você correu?

Correr riscos é algo necessário para atingirmos nossos objetivos.

Mas você não acha que a palavra **risco** provoca imediatamente uma grande rejeição? Não estamos acostumados a correr riscos e, sim, evitá-los e nos protegermos deles.

Imagine que você corre um grande risco ao levar adiante um negócio ou estudar o que você sempre quis. Existem coisas difíceis de realizar, pode ser um verdadeiro sacrifício. Mas, não correr riscos significa que tudo vai dar certo?

Quando assumimos um risco, não quer dizer que teremos um resultado positivo, mas temos a satisfação de ter tentado. E se as coisas não derem tão certo, você pode descartar uma opção que acreditou ser correta. Mesmo que você falhe, que se veja em uma encruzilhada sem saber o que fazer, não se preocupe. Você fez a melhor escolha.

20 De que outra maneira você poderia honrar seu ambiente de trabalho?

Honra é um princípio que leva alguém a ter uma conduta corajosa, e que lhe permite desfrutar de um bom conceito junto à sociedade.

Trabalhe e honre o seu trabalho, porém, não esqueça que o maior trabalho de um homem está em todo dia construir um coração onde os alicerces sejam maleáveis como o amor, mas, fortes como a fé!

21 De 1 a 10, qual é a nota para sua autoestima e confiança em suas capacidades?

Com toda a certeza há dias em que você se sente mais seguro de si e outros em que você não parece ser tudo aquilo que dizem de você.

As pessoas com uma autoconfiança adequada são capazes de assumir desafios e dominar novas tarefas. Apesar das possíveis críticas, sentem-se com energia suficiente para tomar decisões e sabem o valor de se expressar, de dizer o que realmente acreditam.

Confie mais em você!

22 Quanto você está comprometido em participar dos projetos de sua empresa?

É impossível alcançar o sucesso, tanto profissional, quanto pessoal, sem se empenhar de verdade em honrar os compromissos que assume, seja em um relacionamento ou no emprego.

O comprometimento vai muito além de querer causar boa impressão. O compromisso com a organização e com o trabalho desenvolvido reflete significativamente no dia a dia do ambiente de trabalho: influencia a postura do colaborador, a qualidade do trabalho, o empenho em melhorar sempre e a atenção dada às solicitações da chefia e aos colegas.

Se você quer que sua empresa se comprometa com você, então seja comprometido com os projetos dela.

23 Quem foi o chefe com o qual mais aprendeu na vida?

A grande maioria das pessoas tem um superior. Arrisco a dizer que todos têm uma referência, mesmo aqueles que são donos de sua própria empresa também desfrutam desse privilégio que é ter um chefe, que pode ser o seu cliente ou até mesmo o próprio mercado.

Eu já tive vários chefes, com a maioria aprendi e me inspirei na liderança, eles me ensinaram como agir da melhor maneira em diversas situações. Porém, também já tive chefes cuja conduta me ensinaram a como não proceder. Sempre há aprendizado.

Quem foi o chefe que mais o ensinou a crescer em sua vida?

Agradeça a ele hoje.

24 Será que consigo mesmo fazer isso?

É uma questão latente na cabeça de muitos profissionais.

"Sou aparentemente confiante, mas, por dentro, não tenho certeza nem se chego a ser medíocre". O medo do fracasso chega a ser quase uma aflição universal. Eu, por exemplo, revelo minhas inseguranças a muito poucos amigos.

Pode servir de consolo saber que não estamos sozinhos com nossas incertezas. No entanto, mesmo sabendo que muitos compartilham tais temores e que diversas pessoas são e estão igualmente perdidas, repletas de dúvidas sob uma carapaça de autoconfiança, ainda precisamos compreender por que a ansiedade quanto à mudança de carreira, assombra uma parte tão grande de nossas vidas.

"Sem autoconfiança somos como bebês no berço", disse Virginia Woolf. Ela está certa. A questão é como nos livrar de nossos temores, superar nossa aversão ao risco e descobrir a coragem que precisamos para mudar.

25 Chorar no trabalho é sinal de fraqueza?

Existe muito julgamento negativo sobre o choro no ambiente corporativo. Acredito que isso aconteça porque a maior parte das pessoas não sabe lidar com as emoções no trabalho. Ficam sem ação quando vêem alguém chorar na sua frente e, por não saberem lidar com a situação, a tendência é julgar negativamente.

Pense bem, chorar na frente dos colegas, ou do chefe, não é algo que planejamos, mas, quem nunca ficou nervoso no trabalho?

Talvez um dia não se considere mais chorar como um sinal de fraqueza, ou uma situação constrangedora, e isso seja tomado como simples manifestação de uma emoção autêntica. E talvez a compaixão e a sensibilidade nos tornem profissionais mais naturais no futuro.

Lágrimas podem acontecer com você a qualquer momento, portanto, se não quiser ser julgado, pare imediatamente de fazer isso com os outros.

26 O que precisa acontecer hoje no trabalho para que você diga que o tempo foi empregado de maneira útil?

Ao final do dia, quais acontecimentos lhe dão a certeza de que foi um bom dia? Pensar nas ações dará uma noção maior do que realmente importa para você.

Todos nós temos aqueles dias tidos como os melhores. No meu caso, quando consigo cumprir com todos meus compromissos com excelência e rapidez e quando fecho novas vendas, considero que foi um dia maravilhoso!

E no seu dia? O que tem que acontecer hoje?

Foque nessas ações e mãos à obra!

27 E se você fosse demitido hoje?

Para ser demitido hoje em dia, basta estar empregado.

Assim como ser contratado e ser promovido na empresa fazem parte do jogo corporativo, a demissão também entra nessa jogada. Ainda assim, ela continua sendo muito temida, principalmente para quem não tem as rédeas e o controle de sua carreira.

Sejamos realistas, as empresas precisam eliminar empregos, mesmo nas épocas boas, para se manterem competitivas.

Mas como agir em meio a tanta pressão?

Como você reage a momentos de crise?

Um bom planejamento a longo prazo pode ajudar você a manter a calma em momentos de pressão. Comece agora a planejar uma estratégia de gestão de crise coerente.

Não espere que a época de vacas magras se aproxime para se preparar. Muitas vezes, em meio a momentos conturbados, quando não se tem planejamento, são tomadas decisões precipitadas e até irreversíveis.

28 Como você reage às críticas?

Toda crítica que recebemos em relação àquilo que realizamos é de essencial importância para nosso aprendizado e crescimento.

O que passa em sua mente sobre a pessoa que está dizendo algo a você?

Pessoas bem sucedidas sabem valorizar as críticas que recebem de chefes, subordinados, colegas, clientes, fornecedores e aprendem a utilizá-las em proveito próprio. Na verdade, essas pessoas buscam as críticas.

Se você quer ser livre para desfrutar verdadeiramente sua vida, deve enfrentar a verdade.

29 Você tem um mentor? Quando conversaram pela última vez?

As relações mais sólidas nascem de uma ligação concreta de ambos os lados, muitas vezes conquistada com esforço.

Se pedir a um desconhecido para ser seu mentor, raramente ou nunca funcionaria, mas abordar alguém com uma consulta específica e bem elaborada, pode render resultados. Os estudos mostram que os mentores escolhem seus protegidos pelo desempenho e pelo potencial.

Por onde passo vejo isso acontecer. As pessoas investem intuitivamente naqueles que se destacam pelo talento, ou naqueles que realmente são capazes de aproveitar a ajuda.

Os grandes gurus da administração precisam parar de dizer: "Consiga um mentor e você se destacará". Em vez disso, seria mais proveitoso dizer: "Destaque-se e você conseguirá um mentor".

30 Estou sendo produtivo ou somente ativo?

Conhecemos muitas pessoas ativas nas empresas, que fazem tarefas sem saber ao certo a real utilidade daquele trabalho, colecionam planilhas de excel e apresentações em power point inúteis, passam o dia na empresa lendo bobagens na internet e enviando mensagens insignificantes pelos grupos do whatsapp.

Correm o dia todo, comem mal, vivem nervosos, ralam da manhã até a noite em trabalhos que odeiam, sempre tensos. Geralmente, vivem reclamando de suas empresas e não têm nenhum momento de alegria no trabalho. Esses são os profissionais ativos.

Uma pessoa produtiva usa a sua força e cérebro. Analisa a situação e toma decisões sábias sobre seu trabalho. Sabe como agir em diferentes ocasiões. Não foge dos desafios, sabe que sabedoria requer ação nos momentos certos na direção dos objetivos profissionais.

Daily Shots | **Setembro**

Anote aqui 5 insights que teve neste mês de Setembro:

1. _____
_____
_____
_____

2. _____
_____
_____
_____

3. _____
_____
_____
_____

4. _____
_____
_____
_____

5. _____
_____
_____
_____

Daily Shots

OUTUBRO

INSPIRAÇÕES
PARA COMEÇAR
BEM O SEU DIA
NO TRABALHO

1. Quais são seus quatro sonhos que mudariam toda a sua vida?

De uma maneira prática e direta, descreva aqui quais são seus quatro sonhos que causariam maior impacto em sua vida hoje.

Considero o ato de sonhar, imaginar coisas boas, como um exercício mental. Além de ser muito benéfico para a estimulação cerebral, faz com que tenhamos a plena consciência de que tudo é possível, de que nossa vida não está limitada a praticamente nenhuma regra.

Sonhe grande e leve seus sonhos a sério.

2. O que faz você se sentir incrível?

Sabe aquele momento em que você está cheio de entusiasmo e energia? Aquela sensação que aquece seu coração? Identifique o que ou quem faz você se sentir incrível.

Quando recebo um abraço apertado e verdadeiro dos meus sobrinhos, quando um aluno compartilha uma conquista de vida, ou até mesmo quando um leitor comenta que seguiu a recomendação do meu livro e se deu bem no trabalho, eu me acho incrível!

Sinta-se incrível hoje e essa energia forte o conduzirá para produzir resultados extraordinários.

Daily Shots | **Outubro**

3 Quando foi a última vez que você teve uma conversa inspiradora?

Muitos dizem: "Eu nunca tive problemas para conversar!", enquanto outros podem pensar: "Eu nunca fui bom nessas conversas".

Uma boa conversa tem mais a ver com a conexão entre as pessoas do que com o assunto em si.

Quais assuntos fazem parte do seu repertório?

Quem são as pessoas com quem você teve uma conversa e saiu inspirado, com uma visão mais otimista sobre a vida e sobre os outros?

Seja essa pessoa e eleve suas conversas hoje.

4 Eu ficaria feliz se me oferecessem uma promoção na empresa?

Nem toda promoção é adequada para todos na empresa. Muitos profissionais caem na armadilha das cifras, considerando boa qualquer promoção, desde que lhe traga mais dinheiro.

Cada degrau que você sobe na hierarquia da empresa, aumenta seu bônus e também o ônus dessa nova responsabilidade. Você tem ciência disso? Do preço que pagará para ganhar mais?

Se lhe oferecessem uma promoção, seria motivo de felicidade para você? Essa é uma boa pergunta para você refletir até que ponto deseja seguir na empresa atual.

5 O que o faz sorrir?

Ao sorrirmos de maneira verdadeira geramos benefícios não somente para nós mesmos, mas também para o ambiente e para as pessoas que estiverem por perto, porque emanamos energia positiva.

Pense no que o faz sorrir. Talvez seja uma lembrança, alguém da família, amigos, a pessoa amada, uma bobeira qualquer, não importa o que seja, sorrir sempre trará benefícios.

Sorrir muda a nossa energia, e mudando a nossa energia, o dia fica muito mais fácil.

Deixe o seu mundo e o mundo das pessoas próximas a você mais alegre com esse simples hábito: sorria mais!

6 O que você faz que lhe traz conforto, mas não exerce impacto para que você atinja suas metas?

Não é a todo momento que devemos sair da zona de conforto. Às vezes, ficar nela é importante para você renovar energias, sentir-se seguro e recuperar o equilíbrio.

Ficar desconfortável a todo momento é bem desgastante. Quero propor para que hoje você analise o que lhe traz conforto, quais situações e atitudes são confortáveis para você, mas que não estão relacionadas às suas metas.

Pense em algo de sua rotina, algo simples que goste de fazer, que seja familiar e que possa manter no seu dia a dia.

7 Qual é o seu plano para amanhã?

Este planejamento está de acordo com suas metas?

Os pequenos passos são cruciais para você chegar ao seu objetivo principal. Pense e planeje o dia de amanhã para focar nas tarefas mais importantes.

8 Neste momento da sua vida, quais valores básicos você está exercitando e em quais atividades?

Os valores são princípios morais ou éticos que consideramos bons e importantes. Podem incluir perdão, honestidade, educação, solidariedade, amor, respeito pela vida, justiça, autocontrole etc. Nossos valores influenciam nosso comportamento, prioridades e relacionamentos.

Hoje em dia discute-se a existência de uma crise de valores humanos, que seria o distanciamento dos princípios éticos e morais que deveriam ser cultivados por todas as pessoas.

Por esse motivo é preciso que todos estejam atentos aos seus pensamentos e ações.

Quais valores você tem exercitado atualmente?

Observe seus significados, para que não sejam relativizados, independentemente de situações ou contextos sociais.

9 Como devo lidar com os invejosos na minha empresa?

A inveja é um sentimento inerente à natureza humana e presente em nossas vidas, muito mais frequentemente do que se imagina. É o desejo de possuir aquilo que o outro possui, de cobiçar as coisas alheias. Não se trata de ciúmes, que significa ter zelo pelo outro ou por alguma coisa ou lugar.

A inveja é direcionada às pessoas; o ciúme, às coisas. A inveja pode contaminar o ambiente de trabalho, dificultar a convivência em equipe e desmotivar as pessoas.

Mas, como devo lidar com os invejosos na minha empresa?

Um ponto importante que sempre ressalto é se a pessoa sabe o quão exposta ela está. Quanto mais expostos estamos, mais vulneráveis nos tornamos. Não confie seus projetos mais íntimos a qualquer pessoa e nem fale mais do que deveria sobre seus objetivos.

10 O que você faria se não houvesse a possibilidade de falhar?

Quem não tem medo de falhar? Temos tanto medo de fracassar com nossos objetivos ou no nosso dia a dia, que às vezes, deixamos que esse medo nos paralise e nos afete de forma negativa, e acabamos pensando até em desistir do que realmente queremos.

Mas, e se a única possibilidade fosse prosperar na conquista do seu objetivo mais ousado?

Talvez você seguisse com mais energia e afinco para alcançar seus sonhos. Pois bem, use esses sentimentos mesmo assim.

Falhar dói e desanima, mas também é uma oportunidade de aprender e seguir em frente com mais sabedoria.

O conhecimento que você ganha com suas falhas pode ser útil para as outras pessoas e você pode ajudá-las a realizar seus sonhos também.

11 Qual foi o maior erro que cometeu na empresa?

Todos cometemos erros. Não dá para acertar o tempo todo. Erros e acertos fazem parte da carreira de qualquer profissional. Somos seres humanos falíveis por natureza e, independentemente de buscarmos nosso aperfeiçoamento e acertos, temos nossos momentos de erros e fraquezas.

Só não erra quem não faz, como diria Luiz Marins. O erro, muitas vezes, é necessário para nosso crescimento, mas, por outro lado, também é sinônimo de retrabalho, perda de tempo e, principalmente, dinheiro.

Depois que o erro é cometido, de nada adianta desesperar-se. Muitas vezes, a forma como o profissional reage à situação é mais desastrosa do que o erro em si.

Assuma seus erros, sem drama, sem culpa, sem punição. Reconheça que foi responsável, aprenda com a experiência e se comprometa a mudar.

12 Pense em um ou dois riscos que você sente que precisa assumir na sua carreira.

Para crescer terá que sair da sua zona de conforto. Não importa o que está evitando arriscar, chegou a hora de mudar.

Com alguns passos simples de planejamento e análise é possível decidir se determinadas situações valem mesmo o risco envolvido. Se sim, supere o receio e tome as decisões que tenham uma influência positiva para a sua carreira.

13 O que tira você do sério? Como fará para isso não afetar você?

Há uma bênção enorme que vem de ignorarmos os outros.

Tão importante quanto valorizarmos quem nos faz bem, é deixarmos ir aqueles que nos fazem mal.

Certas situações e atitudes de outras pessoas agridem tanto nossos valores, que acendem um fogo interno e nos tiram do sério.

Você não tem controle sobre os outros, apenas sobre você mesmo e sua percepção daquela situação.

14 Se você pudesse tornar um desejo realidade hoje, qual seria?

Todo mundo tem sonhos que gostaria de realizar, mas, na maioria das vezes, acabamos nos contentando com bem menos do que gostaríamos.

A vida real se transforma em um obstáculo e os objetivos parecem grandes demais para serem perseguidos de forma realista, mas as coisas não precisam acabar assim.

Embora não exista uma fórmula comprovada para realizarmos nossos desejos, a maioria das pessoas concorda que o primeiro passo é adotar uma atitude positiva e ter sempre em mente nossas aspirações.

Realizar nossos sonhos costuma envolver a construção de uma nova perspectiva e estilo de vida, mas não é impossível.

E aí, qual é o seu sonho de hoje?

15 No trabalho, minhas opiniões parecem importantes?

Ter um bom posicionamento e uma imagem respeitada são pré-requisitos para se ter uma carreira de sucesso. Saber se expressar e dar sua opinião para que seja realmente ouvida é uma das melhores formas de conquistar isso.

Posicionamento é a forma com que as pessoas o vêem no seu local de trabalho, e tem muito a ver com respeito.

Quando você fala, o quanto as pessoas o levam a sério?

O que falam de você quando não está no recinto?

Qual a visão deles em relação ao seu potencial na empresa?

Comece hoje a agir de forma que as pessoas dêem mais valor à sua opinião e construa um bom posicionamento na empresa em que você trabalha.

16 O que é a verdade?

A verdade é aquilo que existe, é real e correto. Platão inaugura seu pensamento sobre a verdade afirmando: *"Verdadeiro é o discurso que diz as coisas como são; falso aquele que as diz como não são"*.

Estamos em um mundo de grandes transformações. Muitas ideologias nos são apresentadas como verdades inquebrantáveis. Também aprendemos com Sócrates que *"Não existem verdades absolutas"*.

O que você encara como sua verdade?

O que nos libertará de toda essa prisão é a nossa consciência crítica. A questão é ir a fundo sobre aquilo que nos é apresentado, fugir do senso comum e criar opiniões próprias. Depende de você encarar isso como verdade.

17 O que você não gosta no seu trabalho, carreira ou ocupação?

Já falamos sobre o QUE você gosta no trabalho, mas hoje quero propor uma reflexão sobre o que especificamente você não gosta, seja uma atividade pessoal ou profissional.

Saber o que não gosta pode o ajudar a se livrar de uma atividade ou função, numa próxima oportunidade. Até trocar o trabalho com alguém que não se importe em fazer aquela atividade que é ruim pra você, mas não, necessariamente, para os outros.

Viu a importância da diversidade na empresa? Ainda bem que nem todo mundo pensa igual!

Reveja o que não gosta e procure negociar a troca com alguém na empresa.

18 Como você aproveita seu tempo livre no trabalho?

Não trabalhamos todo o tempo que ficamos na empresa. Na verdade, cá entre nós, acho muito arcaico você ainda ter que trabalhar por carga horária: mesmo que já tenha feito todo o seu trabalho, é obrigado a ficar na empresa até o fim do expediente.

Se você tem um tempo livre no trabalho, aproveite a oportunidade para pesquisar sobre o seu mercado de trabalho. Informações sobre inovações na indústria ou pessoas de destaque são importantes para você se manter atualizado sobre o panorama geral da sua profissão. Essa é uma ótima chance para se desenvolver profissionalmente e descobrir tendências.

Fazer um curso online também é uma excelente opção. Existem várias opções e universidades que disponibilizam esse conteúdo grátis. Utilize seu tempo de maneira produtiva para seu crescimento com educação.

19 Vejo-me fazendo a mesma coisa nos próximos cinco anos?

Analise seu trabalho hoje, suas atividades e responsabilidades. Você consegue se imaginar fazendo essas mesmas coisas nos próximos cinco anos?

Não estou considerando dinheiro e nem cargo, porém, as atividades que desempenha, na área em que atua.

O que sente ao pensar nos anos seguintes: animação, paz ou bate um certo desespero?

Eu me vejo fazendo as mesmas coisas que faço hoje, com certa inovação, conteúdo atualizado, claro, mas me vejo na mesma atividade que amo!

Não há nada de errado em querer as mesmas coisas ou querer mudar. O que você deve fazer é agir na direção do que quer.

20 O meu superior, ou alguém do trabalho, parece ter consideração por mim como pessoa?

Quando alguém diz ter consideração por outra pessoa, quer dizer que tem grande respeito, apreço e estima pela pessoa.

Não ter consideração, ou a falta dela, é o fato de não se importar com o outro, tomar atitudes egoístas e contra a coletividade.

As pessoas do seu trabalho têm consideração por você?

Você sente que elas o respeitam? Você as respeita também?

Para sermos respeitados, devemos respeitar os outros.

21 Em uma palavra, diga o que tem semeado neste ano para sua carreira.

Enquanto se questiona o por que de não ter alcançado suas metas, o tempo está passando. O relógio não para para lidar com as crises de ninguém. A inércia tem consequências sérias.

O que você tem semeado para sua carreira?
Ou está esperando condições perfeitas para começar a agir?
Comece hoje a semear algo bem legal para colher em sua carreira.

22 Quem são as pessoas íntegras que convivem com você?

Integridade significa guiar suas ações com lisura e disciplina, obedecendo aos processos existentes e em aderência aos valores e ao código de conduta da empresa, além de não compactuar com qualquer desvio de comportamento que possa causar prejuízo às ditas partes interessadas: acionistas, clientes, fornecedores, empregados, governo e comunidade.

Na empresa em que trabalho eu observo falta de integridade das pessoas, ou desvio de comportamento de algum de seus líderes.

O que fazer?

Você pode denunciar, mesmo que não haja um canal formal para isso. Ou, se você percebe que em nada vai resultar, a melhor decisão é procurar outro ambiente para exercer sua profissão.

Não há como negociar integridade!

Daily Shots | Outubro

23. Como você costuma agir quando a situação fica estressante ou sai do seu controle?

A forma como você responde a uma situação de estresse é adequada para o ambiente de trabalho?

O que faz quando fica nervoso ou irritado?

Aceite que nem sempre o escopo daquele problema ficará na sua alçada de decisão, muitas vezes tomará proporções gigantescas e temos que lidar com a pressão.

Saber "segurar a onda" nos momentos de crise farão de você mais inteligente emocionalmente.

24. Com quem você tem se conectado para trocar ideias no trabalho?

Muitas pessoas que nos cercam são legais e divertidas, mas será que têm boas ideias para trocar?

Amplie seu círculo de relacionamentos, assim estará expandindo seus horizontes e perspectivas. Permita-se ouvir quem tem pensamentos diferentes dos seus.

Independentemente da sua afinidade pessoal com uma ou outra pessoa, existem outros colegas que trabalham em conjunto na organização que conseguem elevar o nível da conversa.

Seja você a melhor pessoa para trocar ideias legais no trabalho.

25 Como você tem lidado com as diferenças entre as pessoas com quem você trabalha?

Somos diferentes e isso é bom!

A diversidade envolve, não apenas como as pessoas se percebem, mas como elas percebem os outros.

Entender a importância da inclusão no mundo corporativo significa entender a importância do respeito e da valorização das diferenças.

Como você lida com o diferente?

Refletir sobre diversidade exige disposição para a revisão de crenças, abertura a novos aprendizados, desenvolvimento da empatia e também alguma resiliência.

26 Você se ressente de alguém no trabalho?

Algumas pessoas não falam sobre os próprios sentimentos, principalmente no ambiente corporativo, porque acham que serão julgadas negativamente, que estão exagerando ou sendo muito sensíveis, o que não é verdade.

Saiba que seus sentimentos são importantes, mesmo os negativos, como a mágoa, decepção e a raiva, e você deve se permitir senti-los para que possa falar claramente sobre eles com qualquer pessoa, mas depois siga em frente.

Para abandonar esse ressentimento, primeiramente, é preciso aceitar que não é possível mudar o que aconteceu. Aceite o fato de que as pessoas erram de vez em quando e tudo o que você pode fazer é escolher como reagir em relação às atitudes delas.

Deixe os desapontamentos para trás e você vai conseguir caminhar com mais leveza.

27 Você tem medo de quê?

Sentir medo no trabalho pode limitar sua proatividade e capacidade de ter ideias novas e criativas. Você teme tanto as consequências de suas possíveis atitudes que estaciona sua carreira, praticando a chamada autossabotagem. Ela faz com que você não arrisque como poderia e isso fatalmente irá comprometer seus resultados. É um círculo vicioso.

O medo faz parte da vida de todos nós e precisamos ter uma atitude corajosa frente a ele. Busque falar bastante sobre assuntos que o deixam inseguro, assim saberá a real dimensão e o desafio que terá que enfrentar.

28 Suas vestimentas estão adequadas para o seu trabalho?

Escolher roupas inadequadas para uma entrevista de emprego ou no dia a dia do trabalho pode transmitir uma impressão negativa a seu respeito. Mas, por que ainda há tantos profissionais tropeçando nesse quesito?

O velho ditado que diz "a primeira impressão é a que fica" é bem clichê, mas é verdade. Sabemos que não se deve julgar ninguém pela sua aparência, mas nem sempre isso acontece nas empresas. Portanto, fique atento ao impacto que sua aparência causa nos ambientes corporativos.

Sua imagem é muito importante e, certamente, você não terá uma segunda chance de causar uma primeira boa impressão.

Vista a armadura certa para seu trabalho.

29 Como você tem se tratado ultimamente?

A pessoa mais importante é você! Nem sempre damos a atenção devida às nossas necessidades e desejos.

Muitas vezes cuidamos mais dos outros do que de nós mesmos. Faça por si mesmo como faz pelos outros.

Você é gentil para outras pessoas o tempo todo e, sim, elas podem gostar de tudo o que você faz por elas. Mas, pergunte a si mesmo, você realmente gosta de quem você é?

Quando você se aprecia as pessoas começam a gostar do seu eu verdadeiro. Trate bem a si mesmo.

Você merece o melhor.

30 Qual conselho você se daria no começo de sua carreira?

Se pudesse voltar no tempo e encontrasse com você no início de sua carreira, qual conselho se daria?

Será que teria feito algo diferente?

Ou não teria perdido tanto tempo insistindo em algo sem importância?

Ou não mudaria nada?

Eu teria dito a mim mesma que seguisse aquela caminhada fazendo tudo com excelência, que tudo daria certo mais à frente.

Seu passado, suas escolhas, seus tombos e vitórias o trouxeram aqui hoje, portanto, foram cruciais para o seu crescimento.

Não podemos voltar no tempo, mas esse exercício é um importante filtro para aceitarmos todos os desafios como parte de nosso aprendizado e crescimento.

31 Quais hábitos estão controlando sua vida?

Você acha que está no controle da sua vida, usando sua mente racional para tomar as decisões do dia a dia?

Na verdade são seus hábitos que, na maioria das vezes, controlam sua vida. Eles são positivos, ou estão tirando sua energia?

Aristóteles já dizia que *"Nós somos o que repetidamente fazemos"*, portanto, se seus hábitos não fazem bem para você, pesquise sobre o assunto e tome a decisão de mudar.

Comece hoje a fazer algo bom por você.

Anote aqui 5 insights que teve neste mês de Outubro:

1 _____

2 _____

3 _____

4 _____

5 _____

Daily Shots

NOVEMBRO

INSPIRAÇÕES
PARA COMEÇAR
BEM O SEU DIA
NO TRABALHO

1 Qual seria o seu trabalho dos sonhos hoje?

Todo mundo quer um trabalho melhor, mas será que você sabe exatamente o que deveria ser o seu trabalho dos sonhos?

Aquilo que é legal e funciona para mim, não necessariamente seria relevante para você.

Talvez queira horários flexíveis, ambiente agradável, pessoas legais, clima bacana, com acesso a tecnologia, que proporcione aprender coisas novas, tenha abertura para emergências familiares, treinamentos e salário compatível com o mercado.

Só quem sabe é você!

Defina qual seria o seu trabalho dos sonhos.

2 Como vão suas amizades?

Amigos são o bem mais precioso desta vida!

Ouso dizer que é o amor verdadeiro, sem cobrança, aquele genuíno desejo que a pessoa seja feliz, com aceitação total de como ela é, livre de julgamentos.

Quem são seus amigos? Quando foi a última vez que se falaram, ou estiveram juntos?

Dê um alô para seus amigos hoje! Mande uma mensagem e, se puderem, marquem um encontro para estarem juntos.

A vida é um sopro e devemos curtir com quem nos faz bem.

3 O que você gostaria de fazer em sua vida para se considerar completamente realizado?

Muitas pessoas ainda não se consideram realizadas no trabalho ou até mesmo na vida pessoal. A verdade é que buscar essa tal realização é algo muito amplo e difícil de ser mensurado.

Comece destacando o que gostaria de fazer. Preste atenção no verbo *fazer*: requer *ação*. Não estou perguntando o que é realização para você e, sim, o que você gostaria de fazer que lhe proporcionasse experimentar o sentimento de realização.

Liste as ações e mãos à obra!

4 Qual foi o último projeto ou ação que você desenvolveu com o seu principal cliente no trabalho?

Sim, o seu cliente é muito importante! É através do comportamento dele que sua empresa define a estratégia a ser seguida, que produto desenvolver e vender.

Quem é o seu cliente? Talvez seja externo, outra empresa, ou interno. Não importa. O que importa mesmo é sua relação com ele.

O que você pode fazer hoje para seu cliente de forma que ele fique mais satisfeito com você e com o seu trabalho?

5. Que ações são necessárias para transformar e melhorar o ambiente do seu trabalho atual?

Dentre os vários fatores que levam uma empresa ao sucesso, um dos mais importantes diz respeito à qualidade do ambiente de trabalho.

Quando o clima está mais descontraído, tudo flui melhor. Mas vale dizer que um bom ambiente não se constrói apenas com descontração – cada membro da equipe deve confiar no outro, antes de tudo, para que as coisas funcionem bem.

E como descreveria o ambiente do seu trabalho atual?

O que você pode fazer hoje para melhorá-lo?

6. Se você tivesse todo dinheiro que necessita, o que mudaria em sua vida? E o que não mudaria?

Dinheiro é sempre a primeira ferramenta que as pessoas se apegam quando as coisas não vão bem no trabalho.

Agora pense, se tivesse toda a grana do mundo, o que mudaria em sua vida? Faça sua lista, sem pressa ou julgamento. Talvez mudaria sua casa, carro, guarda-roupa, bens materiais etc.

Agora pense no que não mudaria. O que não mudaria na sua vida, nem por todo o dinheiro do mundo? Essa pergunta mostra o que você já tem e atribui mais valor hoje.

Você ainda não é o ganhador da Mega Sena, mas já sabe o que realmente importa para você!

7 Você já teve um daqueles dias em que nada deu certo?

Nem sempre tudo vai dar certo e acontecerá da forma como você gostaria.

Que competência você pode usar para amenizar as coisas?

"Nem todo dia é bom, mas sempre existe algo de bom em cada dia", desconheço o autor da frase, mas ele tinha toda razão.

Nunca duvide do poder do amanhã, jamais duvide da força que existe dentro de você, da capacidade de se reinventar, de se refazer, de voltar a sorrir com a esperança que move cada sonho, cada meta, cada novo respirar.

8 De 1 a 10, como está sua motivação hoje?

Motivação é um motivo para agir – uma razão para fazer alguma coisa.

É pessoal, intrínseco e intransferível.

Este motivo está dentro da sua cabeça e do seu coração, portanto, seus motivos são abstratos, só tem significado para você e esta é a razão pela qual a motivação é algo tão especial.

9 O quanto você é generoso?

Generosidade é a virtude de quem compartilha por bondade. Um ato de generosidade deve ser feito de forma desinteressada, sem esperar nenhum retorno.

Também é sinal de abundância, de alguma coisa em grande quantidade.

Quanto você é generoso, seja em compartilhar conhecimento, ouvir alguém, emprestar ou doar algo?

Somente os generosos experimentam a nobreza, grandeza, dignidade, bondade, magnanimidade, benevolência, beneficência, humanidade e compaixão.

Seja mais generoso hoje.

10 Você deveria confiar nos seus instintos?

Muitos acreditam que é a voz de Deus que fala a seus filhos. Um senso inato do que é certo e errado, do que contribui e prejudica, do que é bom e do que é mau, do que é verdadeiro, daquilo que é falso.

O instinto é a voz interior, traz calma e paz. Não tem medo das informações e pode interpretar exatamente o que está acontecendo.

Você tem ouvido mais seus instintos ou o barulho das justificativas?

Confie na sua voz interior.

11 Como suas competências podem fazer com que as pessoas ao seu redor se sintam mais seguras?

Em termos de gestão e produtividade, é essencial que as empresas consigam proporcionar um ambiente seguro, saudável e vantajoso para seus colaboradores, no qual todos possam propor ideias e se arriscar, sem medo de julgamentos.

Isso significa fazer com que as pessoas de uma equipe sintam que podem correr riscos interpessoais. São coisas simples, como pedir ajuda, propor uma ideia ou reconhecer que não sabe algo.

Mas, se o ambiente pune demonstrações de vulnerabilidade, você deve inibir esse comportamento, que é importante para o funcionamento de uma boa equipe.

12 Você gasta seu tempo com as coisas importantes?

Você pode falar tudo o que quiser sobre ter um propósito claro e uma estratégia para a sua vida, mas, no fim, isso não significa nada se você não estiver investindo os recursos que você tem em um meio consistente com a sua estratégia.

Faça o que puder para aprender e desenvolver, para reconhecer e fortalecer seus pontos fortes, para se cercar de boas pessoas.

Você deve a si mesmo fazer algo que gosta e se dedicar ao que lhe importa.

13 Vamos praticar a gentileza hoje no trabalho?

Bons modos são diferentes de gentileza. Bons modos e educação é dar lugar para uma pessoa mais velha se sentar, cumprimentar colegas no elevador, deixar o outro terminar de falar, dentre outros.

Gentileza é uma forma de atenção e de cuidado que torna os relacionamentos mais humanos e menos ríspidos. Quem pratica a gentileza não tem má vontade, não é indiferente e, sim, cuidadoso, distinto e delicado.

"A gentileza faz com que o homem pareça exteriormente, como deveria ser interiormente". (Jean de la Bruyère)

Como você pode ser gentil com alguém?

14 Quando foi a última vez que você fez o bem para alguém?

"A riqueza não se mede pelos bens que se possui, mas sim pelo bem que se faz!" (Miguel de Cervantes). Acho essa simples frase linda e poderosa.

Cultivar o hábito de fazer o bem é essencial, pois traz benefícios não só para quem está sendo beneficiado por nossas ações, mas também para nós mesmos. Daqui para frente, passe a se observar todas as vezes que fizer algo de bom para alguém. Tenho certeza de que você será tomado por uma enorme sensação de bem-estar, deixando-o satisfeito, feliz e pleno por ter se permitido ir além e contribuído para tornar o mundo de alguém muito melhor.

Passe o dia de hoje fazendo o bem para as pessoas ao seu redor. Se interesse de verdade por alguém do trabalho e busque ajudá-lo de acordo com suas possibilidades.

15 Se você criasse uma empresa, de que ramo seria?

Todo empreendedor tem dificuldades em definir em qual ramo sua empresa deveria atuar. Não caia na armadilha de achar que o negócio é ganhar dinheiro. Isso é apenas a consequência do acerto na escolha da atividade.

O primeiro passo é estar de acordo com as tendências de mercado e, claro, com suas habilidades e identificação. Se fosse criar uma nova empresa, em qual segmento escolheria trabalhar?

Hoje, você atua nesse segmento?

16 Como você se sente em relação a realidade que vivencia, neste exato momento?

Você está hoje no local onde imaginava que estaria, quando pensava sobre isso há alguns anos?

O passado já não muda mais, porém, todo dia nasce como uma oportunidade **única** de fazer um melhor amanhã, no ano que vem, daqui a cinco, 10, 15 anos.

O *eu* do futuro será o produto do *eu* que você resolveu ser e fazer hoje. Não desperdice o dia de hoje!

Alimentar-se corretamente e praticar exercícios físicos hoje é construir uma boa ponte para o futuro. É construir um corpo e mente mais fortes e mais saudáveis.

Estudar, trabalhar e poupar hoje é construir uma boa ponte para o futuro. É crescer intelectualmente, produzir um serviço ou bem de qualidade, é ter mais dinheiro amanhã e depois de amanhã.

O que quer que você faça, certifique-se de que isso tenha um impacto e uma boa conexão no futuro.

17 Como o dia de hoje poderia ter sido melhor?

A todo instante estamos fazendo reflexões sobre o passado, presente e futuro.

Quando refletimos sobre o passado, o que vivenciamos é uma mistura de sentimentos de gratificação e arrependimento. Pensamos sobre as coisas que realizamos bem, que realizamos mal, sobre situações que poderíamos ter feito melhor mas, acima de tudo, muitas pessoas pensam sobre coisas que sequer realizaram – tendo tido condições de fazê-las.

E é nesse momento que surgem os inevitáveis **ses**: "*se* eu tivesse feito isso...", "*se* eu tivesse feito aquilo...", "*se* eu agisse daquela forma..." e assim por diante.

Pare com isso! Não viva uma vida que poderia ter sido!

Faça de hoje seu melhor dia.

18 Qual foi a ideia mais assustadora que você já teve em relação à sua carreira?

Você se considera uma pessoa ousada em suas relações de trabalho? Propõe novas ideias sem medo de ser reprimido?

Pois saiba que a ousadia é um item especial para você desenvolver uma carreira de sucesso e conseguir alçar altos voos em sua área de atuação.

Mudanças e atitudes fora do comum geram desconforto. Mas isto não pode ser um motivo para você desistir da ideia. Se realmente acredita e tem embasamento estratégico para que uma ideia nova dê certo, não a deixe de lado por desmotivação ou recusa inicial dos outros.

Daily Shots | **Novembro**

19 Em que situação você fica irritado no trabalho?

Paciência, paciência e mais paciência é o que todos precisamos no trabalho. Conviver com pessoas diferentes e que não nos agradam faz parte da rotina de muita gente. Não é privilégio só seu!

Antes de tomar uma atitude, entenda o que realmente está irritando você.

Se o problema é com uma situação de trabalho, é mais fácil ajustar.

Se o problema é a forma como seu colega expõe as opiniões, o espaço que ocupa, ou o jeito que trata outras pessoas, talvez uma boa conversa bem planejada possa ajudar a amenizar a situação.

Afinal, se o comportamento dele irrita você, talvez o contrário também possa estar acontecendo. Já considerou isso?

20 Qual diferença você faz no trabalho?

Não precisa pensar em algo extraordinário como, por exemplo, os atletas que conseguem recordes nos esportes. Refiro-me à sua essência, a algo especial que só você tenha.

Às vezes, o diferencial de uma pessoa está na sua calma perante uma situação de estresse. Se este é o seu caso, você pode ser aquela pessoa que une todos na empresa, que tem uma visão otimista e positiva sobre um novo projeto, ou causa.

O que só você tem de diferente?

21 Como agir diferente de como você costuma agir?

Mudar não é fácil. Quando refletimos sobre o que mudar, geralmente esbarramos nos comportamentos indesejados que insistimos em repetir e que trazem consequências sérias para a nossa vida.

Você já deve ter pensado em alguns deles e em como, por várias vezes, já tentou mudá-los.

O que eu quero dizer a você hoje é que podemos mudar, sim.

Podemos nos recriar e isso só depende de nós mesmos.

Sei que não é fácil, mas é perfeitamente possível.

22 Por que você acorda de manhã?

Toda manhã é um bom começo, uma oportunidade, um presente que ganhamos para poder fazer mais e melhor do que ontem.

Não me refiro a madrugar ou fazer qualquer exercício proposto por livros de autoajuda, mas, quero proporcionar uma reflexão do quão abençoado você é por abrir seus olhos hoje.

Que você desperte hoje com mais energia e entusiasmo para utilizar tudo que acontecer no decorrer do dia para aprender, crescer e avançar.

23 Como definir melhor o seu maior problema no trabalho?

Problema é o que não falta na vida de ninguém!

Às vezes, fica complicado definir qual é o problema central que temos em nosso trabalho.

O problema não é o problema, e sim como você lida com ele.

Procure definir primeiro qual é o real problema, só assim poderá pensar nas infinitas possibilidade para solucioná-lo.

24 O que você está tentando fazer?

Você tem a sensação de que o dia terminou e parece que não fez nada?

Confesso que tenho certa resistência com o verbo *tentar*. Ele faz sentido somente com outro verbo! É como se, automaticamente, já disséssemos para nós mesmos que não iremos *concluir*.

Portanto, para ser mais produtivo é preciso abolir a palavra *tentar* e substituí-la por qualquer outra do tipo: *conseguir, concluir, finalizar*.

O que não se deve fazer é ficar tentando, tentando e tentando, pois seu dia chegará ao fim e você irá descobrir que não conseguiu produzir nada de concreto. No máximo disfarçou com tarefas que, de fato, não contribuíram em nada para que seu dia se tornasse produtivo.

Vamos em frente!

25 Escreva três objetivos que pretende realizar no próximo ano.

Estamos quase no final do ano e olhar para um horizonte próximo é fundamental para termos certeza dos rumos que a vida está levando.

Quais são os três objetivos que deseja realizar no ano que vem?

Como são metas e objetivos de curto prazo, geralmente são mais fáceis de serem completados do que os objetivos de longo prazo. Eles são as escadas que nos aproximam dos objetivos mais complexos.

Quais são os seus?

26 Qual foi a emoção predominante no seu dia?

Se estiver lendo este texto de manhã, qual é a emoção predominante em você agora?

As emoções estão presentes em nós a todo momento, é uma sensação física e emocional que é provocada por algum estímulo, seja positivo ou negativo.

Uma emoção positiva, após seu pico de adrenalina, perdura por cerca de duas horas em nosso corpo, enquanto que a negativa se faz presente por cerca de quatro horas. É como um remédio ou droga que precisa de um tempo para sair do nosso corpo e não fazer mais efeito.

Já pensou se você tiver mais de duas ou três emoções negativas num único dia?

27 O que você precisa rever para impulsionar a sua carreira? Você acredita que ainda falta algo para chegar lá?

Bom, saiba que existem diversas maneiras de se destacar.

Estudar e se atualizar constantemente, ser flexível e ter a habilidade da liderança são alguns exemplos, porém, nem sempre isso poderá garantir o sucesso profissional.

Mesmo assim, faça as coisas com vontade e entusiasmo, e não apenas "por fazer".

Vá além e supere as expectativas de todos ao seu redor.

Este pode ser o gatilho para impulsionar sua carreira.

28 O que você tem feito com a sua vida?

Cuidado para não se fechar para o mundo, vivendo numa correria danada na empresa, pensando apenas no trabalho e em fazer as coisas o mais rápido possível. Cuidado para não deixar seus amigos de lado e também para não dar a desculpa de que faz tudo por amor a seus filhos e família.

Não se deixe de lado, não se esqueça de você, de sua vaidade, do cuidado com a espiritualidade, das pessoas que ama, da família.

Nós atraímos o que emitimos.

Jamais se esqueça disso!

29 Quando foi a última vez que ficou sozinho com você?

É necessário, de vez em quando, aquietar-se e se resguardar de tudo e todos. É uma possibilidade de aprender sobre você mesmo.

Ficar sozinho não tem relação com solidão. Solidão é quando se sente só e isso gera dor. Muitas pessoas estão cercadas de gente e sentem solidão. Tem-se a errônea impressão de que aquele ser que está sozinho não está bem, está sofrendo, mas a realidade é outra, é de paz.

É importante ter algum tempo de pausa para ficar só e aquietar seus pensamentos.

Você fica bem com você mesmo?

Sente paz quando está sozinho?

30 Quem você considera ser seu "anjo da guarda" no trabalho?

Um anjo da guarda não nos deixa só ou desamparado, ele protege e nos guarda. Não precisa atrelar àquela figura de anjinho bonitinho que vemos por aí, tampouco dependente de sua crença ou religião. Quero falar sobre a postura de cuidar e guardar.

Você acredita ter alguém no trabalho que cuida de você, mesmo que de longe, é seu defensor e guardador, avisando das possíveis armadilhas profissionais?

E você, considera ser o anjo da guarda de alguém?

Que tal começar hoje a cuidar de longe de alguém que considera e tem respeito?

Daily Shots | **Novembro**

Anote aqui 5 insights que teve neste mês de Novembro:

1 _____
_____
_____
_____

2 _____
_____
_____
_____

3 _____
_____
_____
_____

4 _____
_____
_____
_____

5 _____
_____
_____
_____

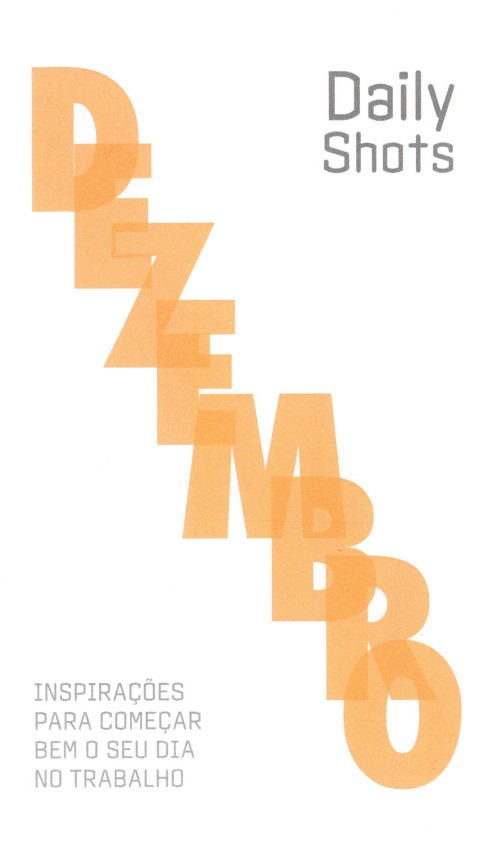

DEZEMBRO

Daily Shots

INSPIRAÇÕES
PARA COMEÇAR
BEM O SEU DIA
NO TRABALHO

1. Como está a sua vida, sua carreira e suas realizações neste momento?

Hoje, iniciamos o último mês do ano e sempre cabe uma breve reflexão sobre como estamos em nossa caminhada profissional.

O tempo passa depressa! Essa frase é bem clichê, mas é verdadeira! O tempo passará independentemente de sua vontade, disposição, humor ou energia. Jamais se esqueça de que a vida é muito curta para você continuar numa caminhada profissional que já não faz mais sentido pra você agora e daqui para a frente.

Sucesso do passado não é garantia de sucesso no futuro.

2. O que você não consegue esquecer?

Muitas vezes, questionamos nosso passado. Mas, imaginar diversos cenários em sua mente não vai mudar o que já aconteceu, portanto, ao invés de pensar no que poderia ter acontecido se você tivesse feito escolhas diferentes, concentre-se no presente e no que pode fazer agora.

Sempre que tomar uma decisão, diga *sim* para essa oportunidade e *não* para todas as outras. Começar a pensar "e se eu tivesse escolhido outra coisa" pode ser fácil, mas só provoca sentimento de frustração. Aceite que algo aconteceu e que talvez você sinta orgulho, ou não, do que fez. Independentemente do resultado, tal decisão faz parte da sua história.

Diga a si mesmo: "Tomei essa decisão no passado porque ela fazia sentido para mim na época. Olhando para trás, fazer de outra maneira poderia ter sido melhor, mas eu não tinha o poder de prever as consequências de tal escolha. Esse aprendizado será útil no futuro, caso precise tomar uma decisão semelhante".

Daily Shots | Dezembro

3 Quais desejos estão no seu top três?

Hoje convido você a ouvir a música **Comida**, da banda brasileira de rock *Titãs*, enquanto lista seus desejos mais latentes. Essa música nos provoca com esses trechos:

"A gente não quer só comida, a gente quer comida, diversão e arte.
A gente não quer só comida, a gente quer saída para qualquer parte.
A gente não quer só comer, a gente quer comer e quer fazer amor.
A gente não quer só comer, a gente quer prazer prá aliviar a dor.
A gente não quer só dinheiro, a gente quer dinheiro e felicidade.
A gente não quer só dinheiro, a gente quer inteiro e não pela metade".
E você, tem sede de quê?
Você tem fome de quê?

4 Nos últimos seis meses eu recebi demonstrações de reconhecimento ou elogios pela realização de um bom trabalho?

Acredito que a forma mais eficaz para manter um alto grau de eficiência no trabalho só acontece com a prática constante de dar e receber feedback.

Ainda é um assunto complicado nas empresas, pois nem todos sabem a melhor maneira de falar e demonstrar reconhecimento a alguém. Normalmente, isso só acontece quando fazemos algo extraordinário.

Reveja seus resultados na empresa e seja o melhor que puder ser.

5 Quem é você?

O que você responde quando alguém faz a pergunta acima?

Você fala sobre sua profissão, sobre seu cargo na empresa ou na comunidade, sobre sua família, seus valores ou sobre suas posses?

Como você se define?

Você acha que seus amigos ou alguém da sua família o definiria com as mesmas palavras que você?

Você acha que a forma como se percebe é real e objetiva ou, pelo contrário, inclui alguma distorção?

O importante aqui é que a forma como nos vemos condiciona o nosso humor e nos posiciona diante do mundo.

Você é a sua essência e isso, por si só, é muito especial.

6 Você se relaciona com alguém que incentiva o seu desenvolvimento?

Hoje quero falar de relacionamento, seja amoroso, parceria ou de amizade.

Relacione-se com pessoas que lhe fazem crescer, que torçam de verdade por suas conquistas e vitórias. Que façam planos congruentes com os seus. Que lhe perguntem quais são os seus sonhos.

E fuja daqueles que se intimidam com o seu crescimento. A maioria das pessoas tem medo da mudança e, portanto, não se surpreenda se começar a atrair opositores.

Mas, não se preocupe, cresça mesmo assim.

O seu sucesso também vai inspirar os outros, então mantenha o seu foco nas pessoas que valem a pena.

7. Quem são as pessoas mais importantes da sua vida?

Existem pessoas que cruzam o nosso caminho e fazem a nossa caminhada mais significativa, produtiva e prazerosa.

Quem são essas pessoas para você?

Não espere que essas pessoas especiais saiam do seu caminho ou da sua vida para demonstrar o quanto elas são importantes para você.

Diga isso a elas hoje!

8. Se você entende que está apenas sobrevivendo e não vivendo, tem algo errado.
O que você faria para mudar esse padrão?

Claro que todos nós almejamos bons salários, ou melhor, um salário que nos proporcione uma vida confortável, pague nossas contas, nossos estudos, honre as despesas da casa, permita desfrutar de lazer e bens de consumo desejáveis.

Para isso trabalhamos horas e mais horas diariamente.

E assim vai a vida, passam-se as horas, dias, semanas e meses. E hoje me dei conta que já estamos em Dezembro! Como o tempo voa...

Por isso é importante, sim, trabalharmos para viver, mas isso não significa que precisamos viver trabalhando.

O equilíbrio é a chave para a nossa realização, tanto pessoal, quanto profissional.

9 Será mesmo verdade que temos uma grandeza escondida?

Seria ótimo poder ter um dom sobre-humano e poder fazer coisas incríveis, não seria?

Não sei se realmente todo mundo tem um dom especial e extraordinário. Em caso positivo, todos se destacariam pelos seus feitos incríveis, ou isso seria comum e ninguém seria ressaltado.

Entretanto, é fato que todos temos um potencial a ser desenvolvido e você não pode temer o seu próprio potencial.

Então, se você começar a se sentir inseguro sobre onde o seu crescimento pode levá-lo, apenas ancore esses medos lembrando-se que, ao liberar o seu melhor, você irá inspirar todos ao seu redor.

10 Se tivesse que passar cinco anos em isolamento, o que você finalmente teria a oportunidade de fazer?

A demanda da vida atual é tão grande que quando a gente não corresponde, a sensação é de fracasso.

O sentimento é que o dia deveria ter 30 horas ou mais. Mas, eu posso apostar que se você ganhasse mais algumas horas, ainda acharia pouco, e gostaria de ter mais tempo. Porque você sempre preencheria mais e mais esse tempo. Você começaria a aumentar essa demanda sempre, o sentimento é que ela é infinita. E novamente, não seria suficiente.

Será que o problema é o tempo, ou a nossa forma de lidar com ele?

Você deveria buscar mais conhecimento para lidar com sua produtividade, porém, a reflexão de hoje é para se imaginar totalmente recluso de suas obrigações. O que gostaria de fazer?

Talvez na resposta você consiga descobrir o que de fato é prioridade e o que não é, e então poderá remanejar suas funções.

11 Que fatores levarão você a realizar seus objetivos do próximo ano?

Quais conhecimentos e habilidades que já possui serão indispensáveis para suas próximas metas no ano que vem?

Agora vamos analisar o que você precisará desenvolver. Comece pelos conhecimentos técnicos que precisará: ler, estudar e aprender. Depois, liste os comportamentais que poderão ser ensinados a você mediante treinamento.

Negocie com sua empresa para que eles invistam no seu desenvolvimento. Caso sua empresa não esteja pronta para assumir essa demanda, invista você mesmo!

12 Qual a preocupação que você tem em mente hoje?

Só nos "pré-ocupamos" com algo que ainda não aconteceu (pode ou não acontecer). É a perda da tranquilidade de espírito, devido ao interesse ou sentimento de responsabilidade que se tem por certas pessoas ou coisas.

Vale a ressalva de que nem sempre a preocupação é ruim, pois você pode se antecipar ao fato e se preparar para melhor administrá-lo, caso venha a acontecer. Aí está a grande sacada para lidar melhor com o que o preocupa: pense nas ações que possa ter, caso aquilo que o preocupa venha a acontecer.

Em suma, direcionar seus pensamentos para a ação não será perda de tempo com a preocupação, pois você terá um planejamento estratégico para fazer e ações a tomar.

13 O que bate forte em seu coração?

Hoje quero relembrar você do que é mais valioso.

O trabalho é muito importante para todos nós, pois é através dele que podemos desfrutar e conquistar o que sonhamos. Porém, quero que entenda que seu trabalho não é a sua vida, é uma parte especial dela, mas, por favor, não confunda as coisas.

Convido você hoje a ficar um tempo em silêncio consigo mesmo e ouvir a voz interna para relembrar o que faz seu coração bater mais forte.

14 Quão cuidadoso você tem sido com suas palavras?

De fato, não sei o real poder de uma palavra, mas sei que elas podem levantar ou ferir uma pessoa, por isso, todo cuidado é pouco.

Para hoje, vamos seguir o que Stephen Covey dizia: *"Escute mais, fale menos"*.

Quando ouvimos mais com a intenção de compreender os outros do que com a de retrucar, começamos a construir a verdadeira comunicação e o verdadeiro relacionamento.

As oportunidades para falar abertamente sobre qualquer assunto e ser mais bem compreendido, surgem de modo fácil e espontâneo. Procurar compreender exige consideração, procurar ser entendido requer coragem. A eficácia reside no equilíbrio das duas coisas.

Se você entender que escutar abre uma porta até o interior da outra pessoa, verá que escutar é uma arte que nos aproxima do desconhecido.

15 Você se importa com o que as pessoas pensam sobre você?

Dizem por aí que não devemos nos preocupar com isso. Afinal o que as pessoas pensam é problema delas!

De fato, muitas pessoas vão julgar você negativamente sem nunca sequer saber de suas histórias, lutas e lágrimas. Esse tipo de julgamento não deve lhe interessar. Mas, sim, é interessante saber o que as pessoas que convivem um pouco mais perto de você pensam a seu respeito.

Até para que você possa observar e, se necessário, corrigir e melhorar seu comportamento. Esteja aberto para ouvir uma crítica.

Quem constrói ou destrói é quem recebe a crítica, portanto, cabe a você analisar se aquela observação procede ou não.

16 Você controla seus sentimentos e emoções ou se deixa ser controlado?

Você consegue controlar suas emoções facilmente? Ou você é aquele tipo de pessoa que perde o controle toda vez que alguém, ou alguma situação, o deixa extremamente furioso?

Controlar as emoções é uma habilidade que todos nós deveríamos dominar em nossas vidas, independentemente de qual seja a nossa profissão, posição social, religião, cor, sexo ou idade.

Você está no controle de suas emoções! Você é quem decide quando deve se sentir bem ou mal! Nós realmente não podemos controlar os acontecimentos que ocorrem em nossa vida. Podemos controlar apenas o significado deles.

Fique mais consciente e então controlará suas reações.

17 Quais foram seus aprendizados nesse último mês?

Destaque aqui as tarefas ou conhecimentos adquiridos na empresa, em novembro.

No trabalho é importante criarmos o hábito do aprendizado contínuo. E com o avanço da tecnologia, você nem precisa ir longe para buscar qualquer conhecimento, o *e-learning* (ensino a distância) é uma das formas de viabilizar isso.

Convido hoje você a acessar um curso online (existem vários gratuitos), em qualquer hora vaga do seu dia.

O trabalho e o aprendizado contínuo andam juntos.

18 A competência que decidi desenvolver vai me ajudar a alcançar minha meta no trabalho?

Se você fosse reconhecido por uma qualidade pessoal que desenvolveu neste último ano de sua vida, qual qualidade seria?

O que tem desenvolhado em você está alinhado com as suas metas? Muitas coisas que nos são apresentadas diariamente são interessantes, mas nem tudo é importante.

Lembre-se de que, em se tratando de educação, é necessário tempo para processar e aprender.

Foque em desenvolver competências e habilidades que vão ajudá-lo a alcançar os objetivos traçados por você e utilize o tempo a seu favor.

19. Que características limitantes e fantasmas do passado você precisa abandonar para que o seu futuro seja da forma que você sonha?

Quem não tem um trauma emocional e psicológico que carrega do passado?

Para uma mudança real, a compreensão profunda do que passou é necessária. Precisamos entender que, por trás do fato de não mudar o seu comportamento (que o limita), estão suas feridas mentais, adquiridas no passado. Ao contrário das feridas físicas sobre o nosso corpo, as mentais nunca cicatrizam.

Esses fantasmas do passado podem facilmente assumir o controle sobre o seu comportamento, tomar conta de suas ações, fazendo com que se arrependa mais tarde.

A vida não oferece promessas e nem garantias, somente possibilidades e oportunidades.

Desapegue-se dessas feridas do passado e siga sua vida com mais leveza e boas escolhas.

20. Como anda sua esperança? Tem acreditado em algo maior em sua vida?

Confesso que, muitas vezes, ela já esteve tão fraca dentro de mim que pensei que a tivesse perdido. E, então, aparentemente do nada, ela volta com força total a ocupar meus pensamentos.

É fato que existe algo de poderoso quando falamos de esperança, pois nos faz continuar lutando mesmo quando a vontade é desistir.

É reconfortante continuar a crer e a confiar que existe algo maior que nos conduz, acreditar em alguém, na possibilidade da mudança.

Que a esperança volte a preenchê-lo!

21 Qual é o seu maior arrependimento?

Arrependimento é uma mudança de atitude.

Quem se arrepende muda de ideias e decide viver de forma diferente, fica triste porque entende que errou.

Arrependimento significa *"mudar de direção"* ou *"mudar o pensamento"*.

Você não pode mudar o passado, mas pode escolher como seguir daqui para frente.

Peça desculpas e corrija o feito, se puder, mas depois siga em frente com atenção para não repetir o mesmo erro.

22 O que você pode fazer de novo e que lhe dará a sensação de recomeço?

Você consegue fazer melhor aquilo que você já faz bem?

"Qualquer dia é um novo dia para recomeçar". Esta frase é maravilhosa sobre o recomeço pois, em um novo dia, em uma nova manhã, temos a experiência simples, mas extremamente profunda do nascimento do sol.

Termine algo já começado ou melhore algo que já sabe.

A sensação de recomeço vem de melhorar algo, não necessariamente algo novo, mas em fazer novamente e melhor.

23 Qual é a sua missão neste momento da vida?

Missão de vida é a frase que responde à pergunta: por que estamos vivos aqui neste planeta? O propósito de vida é uma lembrança de quem somos e do impacto que causamos no universo. Falo aqui sobre esse fator sem nenhuma conotação ou crença religiosa.

Missão de vida é simplesmente aquilo que precisamos fazer para nos realizar como seres humanos completos. É o que nos inspira e motiva a fazer a diferença em cada dia de nossas vidas. Realizá-la faz com que a vida seja completa e feliz.

É importante frisar que não existe missão certa, nem errada. Cabe apenas a você saber o que a sua missão lhe inspira e lhe impulsiona.

Pense nisso!

Quando temos descrita a missão, fica clara a contribuição que você dará para a humanidade.

Pense em escrevê-la, algo que venha do coração.

24 No que você acredita fortemente?

Sempre faço essa pergunta para que os profissionais reflitam a respeito da palavra *fortemente*, que significa *vigorosamente*, de modo estreito.

É como se estivesse num barco seguro, próximo a uma ilha paradisíaca, em meio a um mar calmo de águas cristalinas, e você só procurasse um colete salva vidas, ao invés de contemplar toda a natureza.

Quais são suas crenças?

Elas empurram você para o sucesso e para a realização, ou reforçam os riscos de seus projetos falharem?

25 Numa escala de 1 a 10, quão feliz você está?

Para os cristãos, hoje é uma data comemorativa. Independentemente de sua religião, não precisamos de datas comemorativas para nos sentirmos felizes.

Quão feliz você está hoje?

A vida não é apenas uma palavra de quatro letras, é mais do que isso. É uma dádiva de Deus, um presente dado a cada um de nós para escolhermos o que dela fazer. Viva bem, equilibre seu tempo entre todas as coisas que precisam ser feitas, não trabalhe sem parar, tenha um tempo também para falar com Deus.

Vive bem quem sabe aproveitar aquilo que tem, valoriza sua família, pois sabe que eles são presentes que Deus nos deu para caminharem junto conosco e, assim, os trata com amor.

26 Como gostaria que as pessoas lembrassem de você?

A verdade é que todo mundo deixa um legado na vida. A única questão é: de que tipo?

Cada ação, cada realização e cada vitória são partes do seu legado que vai sendo construído a cada dia, assim como os fracassos e as recuperações.

O legado não importa só para você, mas também para todos que o seguem, que acreditam em você, nos seus ensinamentos, nos exemplos que você deu ao longo da sua vida e nas suas formas de agir, pensar e de ajudar as pessoas.

Qual é o rastro que você tem deixado em sua caminhada?

É dessa forma que gostaria de ser lembrado?

Daily Shots | **Dezembro**

27 Para você, o que é o amor incondicional?

Todos queremos amar e ser amados, cada um demonstra de um jeito diferente e tem uma ideia do que isso representa para si.

Pelo que e por quem você tem amor incondicional?

Você diz *eu te amo* com frequência? Para quem?

Como as pessoas ao seu redor percebem e aprendem através da sua forma de demonstrar amor?

Diga *eu te amo* hoje!

28 As metas para o próximo ano já estão escritas?

Colocar suas metas no papel requer uma visão holística.

A partir de seus objetivos de vida surgem suas metas: é um passo específico, concreto, mensurável, que vai servir como medidor de quilometragem rumo ao seu objetivo.

Uma meta **SMART** segue cinco princípios:

Específica – Tem escopo delimitado;

Mensurável – É possível medir se foi alcançada ou não;

Alcançável – É possível realizar;

Relevante – É relevante para sua vida, atrelada aos seus objetivos de vida;

Temporal – Tem um período para ser realizada, tem prazo final.

Está esperando o quê?

Mãos à obra!

"Você é do tamanho dos seus sonhos!" (César Souza)

29 Do que mais me orgulho em minha carreira nestes últimos 12 meses?

Ter orgulho de algo é reconhecer e validar aquele feito, ou conquista.

O orgulho ao qual me refiro é no aspecto positivo, relativo à dignidade de uma pessoa, ou ao sentimento positivo em relação a outro indivíduo, projeto ou causa.

Quanto mais orgulho temos de nosso trabalho e carreira, mais teremos certeza de que estamos vivendo de acordo com os nossos valores e ideais de vida.

30 Como você se vê daqui a um ano? Onde você vai estar?

Em Junho e Setembro abordamos seu norte para daqui a cinco e três anos. Já que estamos no fim de Dezembro, vale fazer uma checagem para o próximo período.

No final do ano que vem, como e onde você se vê?

Que cenário seria maravilhoso e possível para você?

Tome um tempo para se centrar e pensar no que deseja para você no próximo ano. Tudo começa no pensamento, então faça isso hoje.

31 Neste último dia do ano, quero deixar uma mensagem especial para você:

Pense além. Pratique o bem. Tire a bagunça do armário. Viaje. Aceite seus erros. Sonhe alto. Converse baixo sobre sua felicidade. Só queira o melhor para você. Durma pouco, mas viva bem. Olhe o céu. Sinta o chão. Permita-se chorar. Abrace. Não carregue o mundo nas costas. Corra riscos. Confesse sua saudade. Respeite. Mude o foco. Conheça pessoas. Cultive amigos. Elogie. Não seja egoísta. Doe um livro. Não abandone. Deixe o outro viver a vida da maneira dele. Faça por amor.

A vida não tem replay.

Anote aqui 5 insights que teve neste mês de Dezembro:

1. _____
_____
_____
_____

2. _____
_____
_____
_____

3. _____
_____
_____
_____

4. _____
_____
_____
_____

5. _____
_____
_____
_____

Daniela do Lago

- *Professora, escritora, profissional e pesquisadora dos temas e dos conteúdos ligados à carreira. Ministra treinamentos e palestras e atua há mais de 16 anos com Gestão de Pessoas em diversas empresas.*
- *Em 2014 lançou seu livro* **Despertar Profissional***, que contém dicas práticas de comportamento no trabalho.*
- *Em 2016 lançou o livro* **UP - 50 dicas para decolar na sua carreira***, sobre carreira e mercado de trabalho.*
- *Em 2018 lança seu terceiro livro,* **FEEDBACK: Receita eficaz em 10 passos***, onde ensina de maneira prática o passo a passo para dar feedback. Todos os livros foram publicados pela* **Editora Integrare***.*
- *Vencedora do prêmio "Líder Empreendedor 2010", fornecido pelo Congresso de Recursos Humanos FONATE.*
- *Apresenta dicas semanais sobre Coaching e Carreira no programa de Rádio Transnotícia, veiculado também pela internet.*
- *Professora dos cursos de MBA da Fundação Getúlio Vargas, desde 2007, para a disciplina de Gestão de Pessoas.*
- *Foi eleita a Melhor Professora da Disciplina de Gestão de Pessoas dos cursos de MBA da Fundação Getúlio Vargas nos anos de 2016, 2018 e 2019.*
- *Mestre em Administração com foco em Comportamento Organizacional pela Universidade Municipal de São Caetano do Sul.*
- *MBA em Marketing pela Fundação Getúlio Vargas.*
- *Bacharel em Administração pela Fundação Santo André.*
- *Formação Internacional em Coaching e especialização para Liderança.*
- *Autora de diversos artigos acadêmicos publicados em congressos e revistas no Brasil e exterior, tornou-se colunista de vários sites, revistas e jornais. Seu projeto "Os melhores projetos de MBA de 2002" foi publicado em livro pela FGV.*

Integrare
Daniela do Lago

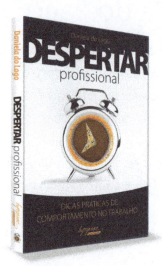

DESPERTAR PROFISSIONAL
DICAS PRÁTICAS DE COMPORTAMENTO NO TRABALHO

ISBN: 978-85-8211-063-8
Número de páginas: 232
Formato: 14x21cm

Se você está aberto para aprender mais sobre você mesmo, a derrubar paradigmas e crenças que limitam sua carreira de progredir, está pronto para criar mudanças em sua vida e disposto a obter sucesso em sua carreira, então leia este livro!

Todo profissional irá se beneficiar com as dicas práticas e imediatamente aplicáveis sobre os dilemas comportamentais e problemas de relacionamentos que enfrentamos durante nossa vida corporativa.

Com uma linguagem clara e objetiva, os textos foram organizados em formato de "pílulas de conhecimento", que podem ser aplicadas em situações específicas no trabalho e se destinam a todo profissional, independentemente do momento de carreira.

A autora busca oferecer aos leitores crônicas, críticas, provocações e reflexões da vida corporativa moderna sempre com intuito de fazê-los crescer, aprender e avançar na carreira.

'Daniela do Lago, seu nome em si já nos inspira ao cristalino e ao sentido da vida. Ao ingrediente da integridade e da ética na escolha dos meios para obtenção dos resultados. Passei a admirar o trabalho da Daniela em contatos que tivemos e ao observar sua preocupação efetiva com a profundidade das coisas e com a excelência em tudo o que faz.

Tenho certeza de que esta obra será de extrema valia para toda a sociedade."
José Luiz Tejon Megido
Palestrante

Integrare
Daniela do Lago

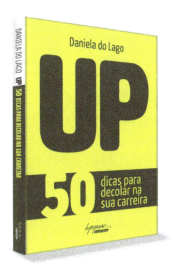

UP
50 DICAS PARA DECOLAR NA SUA CARREIRA

ISBN: 978-85-8211-077-5
Número de páginas: 248
Formato: 14x21cm

Os profissionais, na maioria dos casos, são contratados pelas empresas para trabalhar por suas habilidades técnicas. Porém, sua carreira é impulsionada ou derrubada pelo aspecto comportamental.

De uma maneira prática e aplicável, **UP - 50 dicas para decolar na sua carreira** traz conceitos acadêmicos consolidados sobre comportamento no trabalho. Trata de regras das empresas que não estão escritas em nenhum lugar e que regem as relações no dia a dia corporativo.

Se você atua ou vai atuar em uma empresa, independente do momento da carreira em que esteja vivendo, este livro foi escrito para você!

O conteúdo do livro foi construído de maneira diferente. Traz 10 capítulos direcionados para quem está em início de carreira, outros 10 para mulheres e seus dilemas no trabalho, 10 capítulos para aqueles que já assumiram cargo de liderança na empresa e os 20 últimos são para os profissionais que querem dar um "upgrade" na carreira.

Ofereço aos leitores crônicas, críticas, provocações e reflexões da vida corporativa moderna, sempre com dicas práticas e imediatamente aplicáveis.

Meu desejo, como professora da área de gestão de pessoas e pesquisadora sobre carreiras, é que minhas sugestões possam ajudar efetivamente os profissionais a terem uma carreira bem-sucedida, mais equilibrada e, assim, viverem vidas mais plenas com satisfação e grandeza.

Integrare
Daniela do Lago

FEEDBACK
RECEITA EFICAZ EM 10 PASSOS

ISBN: 978-85-8211-103-1
Número de páginas: 168
Formato: 14x21cm

Com um formato agradável, interativo e didático, o livro **FEEDBACK: Receita eficaz em 10 passos** apresenta as ferramentas necessárias para que você consiga fazer uma crítica de maneira efetiva, elogiar sem bajular e a receber críticas sem ficar na defensiva.
O conteúdo deste livro foi construído com base em diversas técnicas de vários autores e adaptado para a realidade corporativa brasileira, trazendo conceitos acadêmicos consolidados sobre como dar e receber feedback através de uma receita simples e eficaz.
Pessoas bem-sucedidas sabem valorizar os feedbacks que recebem de chefes, subordinados, colegas, clientes e fornecedores, e aprenderam a utilizá-los em proveito próprio.
Essas pessoas buscam esse retorno como ferramenta de crescimento pessoal e profissional. Igualmente, reconhecem a necessidade e a importância de tecer feedbacks, mas fazendo-o sempre de maneira a aprimorar desempenhos e relacionamentos. Leitura recomendada para empresários, empreendedores, líderes e profissionais que optam por crescer mais rapidamente na carreira, ouvindo abertamente as críticas e elogios que recebem.

"Crítica ou desenvolvimento? Correção ou simplesmente avaliar o ponto negativo? Este é um paradoxo que vivemos no mundo empresarial e até mesmo em nossas vidas. Dar feedback é uma das maiores dificuldades que o ser humano tem, pela sua visão crítica e pela sua dificuldade em perceber seus pontos de melhoria. Este livro, com certeza, vai desmistificar tudo o que já viu sobre como aperfeiçoar e desenvolver as competências dos profissionais e como promover feedback mais eficiente.
Acredite: sua vida e sua carreira vão agradecer depois da leitura desse livro. Imperdível!"
Claudio Tomanini
Especialista em gestão de vendas, escritor, palestrante e professor de MBA da FGV

Integrare
Daniela do Lago

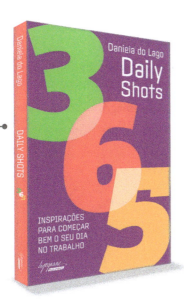

DAILY SHOTS
365 INSPIRAÇÕES PARA COMEÇAR BEM O SEU DIA NO TRABALHO

ISBN: 978-85-8211-109-3
Número de páginas: 232
Formato: 16x23cm

Ao se levantar pela manhã, o que você espera do seu dia? Já pensou nisso?
Daily Shots é um livro essencial. Nele, Daniela do Lago nos instiga e obriga a pensar sobre nossa vida profissional e pessoal. Minuciosamente escrito, capaz de inspirar a mente e acalmar a alma, esse livro tem o poder de provocar insights necessários e úteis, através de estímulos certeiros e belos, caprichosamente organizados em um formato de agenda diária.
O livro traz 365 mensagens curtas e positivas – uma para cada dia do ano.
Verdadeiras provocações para o leitor focar no que é realmente importante.
Traz, ainda, espaços para você anotar seus insights e planos.
Enfim, faz com que você, de uma maneira prática e aplicável, um passo por vez, caminhe sempre em direção da busca pelo significado de seu trabalho e carreira!
"Quão poderosa pode ser uma palavra? Ela pode destruir sonhos, destruir uma vida, a autoestima de alguém, assim como também pode incentivar, mudar algo e até ser a 'mão forte' que ajuda a levantar quando se está num momento difícil."

"Costumo dizer que enriquecer é uma questão de escolha. Ninguém melhor que Dani do Lago para validar essa afirmação. Em **Daily Shots**, ela mostra que é uma escolha nossa ter todos os dias um bom dia, seja de trabalho, seja de momentos em família, seja de planos para prosperar. Viver bem é uma escolha nossa!"
Gustavo Cerbasi
Referência em inteligência financeira, educador e escritor

Contatos com a Autora
Site: www.danieladolago.com.br
e-mail: daniela@danieladolago.com.br
Instagram: @danieladolago

Conheça as nossas mídias

www.editoraintegrare.com.br
www.facebook.com/integrare
www.instagram.com/editoraintegrare
www.editoraintegrare.com.br